CURSO PRÁCTICO DE
WORD

MP Ediciones S.A., Moreno 2062, (C1094ABF) Buenos Aires, Argentina
Tel. 4954-1884, Fax 4954-1791

ISBN 987-526-011-8

Primera reimpresión en junio de 2000, en sociedad Impresora Americana.
Lavardén 153/157, Capital Federal, Argentina.

Agradecimientos

*Las siguientes personas colaboraron directa
o indirectamente en este Manual.
A todos ellos mi enorme agradecimiento.*

- *Jorge Sanchez Serantes*
- *Agnette*
- *Polok*
- *Daniel Faller*
- *Laura Bertero*
- *Claudia Soler*

*Dedicatoria
A la memoria de Víctor Ramos.
En reconocimiento por su labor
como deportista y educador.*

SOBRE LA AUTORA

Verónica Sanchez Serantes es técnica en electrónica digital egresada del Instituto Bunker Hill College de Boston, MA(USA). Estudiante de Análisis de Sistemas en la UTN (Universidad Tecnológica Nacional) se dedica a la docencia a nivel secundario y terciario. Actualmente está desarrollando productos de software para abogados y su carrera está orientada hacia el mantenimiento de sistemas y los servicios de soporte a usuarios.

Sobre la Editorial

MP Ediciones S.A. es una editorial argentina especializada en temas de tecnología (Computación, IT, Telecomunicaciones).

Entre nuestros productos encontrará:

revistas, libros, fascículos, CD-ROMs, Sitios en Internet y Eventos.

Nuestras principales marcas son:

PC Users, PC Juegos, INSIDER, Aprendiendo PC y COMPUMAGAZINE.

Si desea más información, puede contactarnos de las siguientes maneras:

Web: www.mp.com.ar;

e-mail: libros@mponline.com.ar;

correo: Moreno 2062, (1094)

Capital Federal, Argentina.

Fax: 54-11-4954-1791; Tel: 54-11-4954-1884

SUMARIO

Lección 1. Entorno de Word

Lección 3. Archivos

Apendice. El Teclado

Información útil

INTRODUCCIÓN

Este Curso Completo de Word está diseñado para trabajar frente a la computadora, siguiendo paso a paso las indicaciones que se dan a lo largo de las doce lecciones.

La entrega está dividida en dos tomos que se complementan brindando toda la información necesaria para dominar a fondo el programa.

Está diseñado en un formato de preguntas y respuestas de modo que, siguiendo el Indice, el lector también puede utilizarlo como guía de consulta mientras trabaja en Word.

Al final de cada capítulo hay Problemas resueltos, personalizados y alusivos al material desarrollado en ese capítulo. Los mismos tienen, por finalidad, realizar un repaso ameno del material estudiado y plantear problemas concretos y frecuentes relacionados con lo que se acaba de leer.

Verónica Sanchez Serantes
Serantes@impsat1.com.ar

EN ESTE LIBRO

De acuerdo con el modo en que están desarrollados los temas, puede considerarse dividido en cuatro etapas.

TOMO 1	**Primera etapa**	
	Cap,1, 2 y 3	La constituyen los tres primeros capítulos. En ellos aprenderemos lo básico del Procesador de texto: manejar el teclado y el Mouse, familiarizarnos con el entorno de la aplicación, corregir errores y guardar o abrir archivos.
	Segunda etapa	
	Cap. 4, 5, 6 y 7	Con ella podremos mejorar el aspecto del documento: modificando la letra, la apariencia de los párrafos, el formato de las páginas y trabajando con tablas. Se recomienda al lector no avanzar hasta aquí hasta no dominar ampliamente la primera etapa.

TOMO 2	**Tercera etapa**	
	Cap. 1 y 2	En estos capítulos se nos enseñará a trabajar con elementos distintos del texto y las tablas, como pueden ser los objetos, las imágenes, los sonidos, los esquemas, etc., de modo de romper la rutina de una línea detrás de otra y un párrafo debajo de otro.
	Cuarta etapa	
	Cap. 3, 4 y 5	Finalmente la última etapa corresponde a los capítulos 10, 11 y 12, que nos enseñan a automatizar tareas utilizando herramientas como, por ejemplo, el Envío masivo de correspondencia (también conocido como Mail Merge o Mailing), las Macros, las funciones Autotexto y Autoformato, la Revisión Automática de Ortografía, etc.

Por último, encontrará una serie de apéndices que complementarán la información vertida en el libro.

El **Apéndice** del **tomo 1** introduce a quienes no poseen los conocimientos suficientes acerca del manejo del teclado y cada una de sus funciones.

Para estar actualizado al máximo, el **Apéndice** del **tomo 2** capacita en las mejoras de la nueva versión *Word 2000* para quienes dudan en adoptarla.

Para ir más allá de lo que todos saben, nuestra sección **Información útil** muestra los atajos de teclado que permiten acelerar su trabajo sin sacar las manos del teclado y provee de un valiosísimo Indice alfabético que garantiza la posibilidad de profundizar el aprendizaje.

ENTORNO DE WORD

1

Tiempo de lectura y práctica:
1 hora y 45 minutos

Objetivo de la lección

■ Estudiar los elementos que componen la pantalla de *Word*

Entorno Word

El entorno de una aplicación es la interfase desarrollada para dicha aplicación. Se entiende por interfase al conjunto de todos aquellos elementos que aparecen en la pantalla y que utilizamos para trabajar y comunicarnos con la computadora. Los elementos del entorno Microsoft Word están contenidos en la ventana Principal. A largo de este capítulo describiremos cada uno de estos elementos y explicaremos sus principales características y funciones. En todos los casos incluiremos ilustraciones y ejemplos.

1. VENTANA PRINCIPAL DE WORD

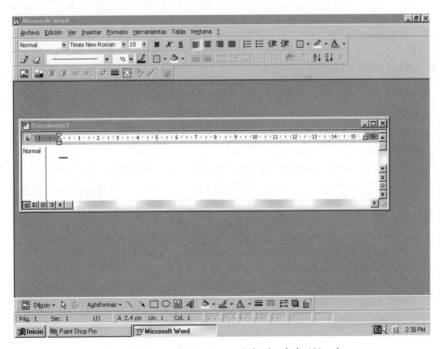

Figura 1. *Ventana Principal de Word .*

♦ Es el marco de contención de todos los elementos del Entorno.
♦ Es lo que vemos en pantalla cuando iniciamos *Word*. La ventana principal que contiene a la ventana del Documento se muestra en la **Figura 1**.

La Ventana Principal está formada por los siguientes elementos:

♦ Una **Barra de Título de la Aplicación**.
♦ Tres **Botones de Control**.
♦ Un **Icono de Control**.
♦ Una **Barra de Menú**.
♦ Varias **Barras de Herramientas**.
♦ Una **Barra de Estado**.

1.1. Barra de Título de la Aplicación

Figura 2. *Aquí vemos el nombre de la aplicación en la que estamos trabajando.*

La Barra de Título de la Aplicación que se muestra en la **Figura 2** se utiliza para:

♦ Informarnos sobre la aplicación en la que estamos trabajando.
♦ Informarnos si la aplicación está activa o no.
♦ Mover una ventana de lugar.

1.1.1. Informarnos sobre la aplicación en la que estamos trabajando.

La Barra de Título de la Aplicación contiene el nombre de la aplicación en la que estamos trabajando, en nuestro caso Microsoft *Word*.

1.1.2. Informarnos si la aplicación está activa o no.

Windows es un sistema operativo multitareas. Esto significa que podemos abrir varios programas a la vez y trabajar por turno en cada uno de ellos. Si bien puede haber varios programas abiertos en un momento determinado sólo uno estará activo en la pantalla para que el usuario pueda trabajar con él. Cuando la aplicación está activa, la barra de Título de la Aplicación tiene un color fuerte, en general azul. Si la aplicación queda fuera de uso pero no se cierra, el color se atenúa o directamente cambia. En Windows, cuando las ventanas se desactivan pasan de azul a gris. Estos colores vienen predeterminados, pero el usuario puede cambiarlos.

Las siguientes instrucciones permiten cambiar los colores predeterminados por *Word*:

◆ Desplegar el menú **Inicio de** *Windows* y elegir **Configuración/ Panel De Control**, como se muestra en la **Figura 3.**

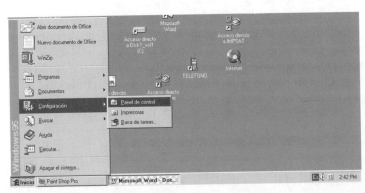

Figura 3. *Primer paso para cambiar los colores de la pantalla*

◆ En la ventana que aparece seleccionar el ícono **Pantalla**.
◆ Verificar que aparece el Cuadro de Diálogo **Propiedades de Pantalla**, ficha **Apariencia**, que se muestra en la **Figura 4.**
◆ En el casillero **Elemento** seleccionar, por turno, cada uno de los elementos que componen la ventana. Por ejemplo, seleccionar "Escritorio", "Ventana Activada", "Ventana Desactivada", " Cuadro de Mensajes", etc.
◆ En cada caso elegir las características que tendrán. Elegir por ejemplo el color, el tipo de letra, etc. Pulsar **Aceptar** para que los cambios tengan lugar.

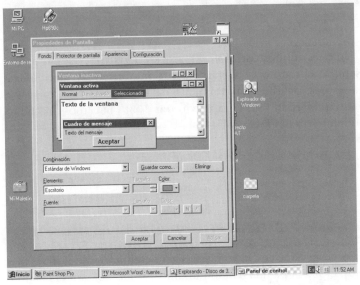

Figura 4. *Aquí se cambian los colores de la pantalla.*

Entorno de Word **1**

1.1.3. Mover una ventana de lugar utilizando la Barra de Título.

La Barra de Título también sirve para mover una ventana de lugar. El procedimiento en este caso es el siguiente:

♦ Verificar que no esté maximizada la ventana, es decir, que no ocupe toda la pantalla.
♦ Ubicar el puntero sobre la **Barra de Título**.
♦ Pulsar el botón izquierdo del Mouse y mantenerlo pulsado.
♦ Arrastrar la ventana hasta la nueva posición.

1.2. Botones de Control de Word

Estos botones también forman la ventana Principal. Están situados en el extremo derecho de la Barra de Título de la Aplicación y permiten manejar el tamaño de la ventana Principal.

1.2.1. Botón de Control Minimizar

Figura 5. *Un clic aquí y la aplicación pasa a ser un ícono.*

Está representado por un guión, como muestra la **Figura 5.** Permite minimizar *Word* . Minimizar una ventana significa sacarla momentáneamente de la pantalla sin cerrarla y reducirla a un ícono pequeño.

Figura 6. *Así se ve una aplicación cuando está minimizada*

Una vez minimizado *Word* aparecen otras aplicaciones ocultas detrás, por ejemplo el escritorio. Generalmente minimizamos una aplicación cuando queremos sacarla temporalmente de la pantalla para utilizar otros programas también en uso. Para maximizar *Word* hacemos un clic sobre el ícono que muestra la **Figura 6**.

1.2.2. Botón de Control Maximizar

Figura 7. *Un clic aquí y la aplicación toma el máximo de su tamaño.*

Lo observamos en la **Figura 7**. Está habilitado sólo cuando la aplicación no ocupa toda la pantalla. Si lo pulsamos, *Word* tomará el máximo de su tamaño ocultando detrás otras aplicaciones en uso.

1.2.3. Botón de Control Restaurar

El **Botón de Control Restaurar** que se muestra en la **Figura 8** está situado a la derecha del botón Minimizar. Su función es llevar la Ventana Principal a un tamaño intermedio que deje ver otras aplicaciones abiertas y en uso. Esto significa que si existen varias aplicaciones en uso, podremos ver parte de la ventana de cada una de ellas.

Figura 8. *Un clic aquí y Word toma un tamaño intermedio que deja ver otras aplicaciones detrás.*

1.2.4. Botón de Control Cerrar.

Figura 9. *La cruz cierra.*

Está representado por una cruz, como muestra la **Figura 9**. Permite cerrar *Word* . Si el documento en el que estamos trabajando no fue previamente salvado aparecerá un mensaje sugiriéndonos que lo guardemos antes de salir.

1.3. Icono de Control de Word

El **Icono de Control** es otro de los elementos que forma la ventana Principal de *Word* . Está situado a la izquierda de la Barra de Título y tiene la forma de una "W", como se muestra en la **Figura 10**.

Figura 10. *La "W" despliega un menú para controlar el tamaño de la ventana de Word.*

Al igual que los **Botones de Control,** este ícono se utiliza para determinar el tamaño y la posición de la ventana principal. Para utilizar el **Icono de Control** hay que hacer un clic sobre él o bien desde el teclado presionar simultáneamente ALT+BARRA ESPACIADORA. En el menú que aparece seleccionar alguno de los comandos teniendo en cuenta que:

- ◆ **Restaurar**: Lleva la ventana a un tamaño intermedio que deja ver otras aplicaciones detrás.
- ◆ **Mover**: Permite mover la ventana de lugar.
- ◆ **Tamaño**: Permite personalizar el tamaño de la ventana.
- ◆ **Minimizar**: Reduce la ventana a un ícono pero no la cierra.

♦ **Maximizar**: Agranda la ventana de *Word* al máximo de su tamaño.
♦ **Cerrar**: Cierra *Word* .

1.4. Barra de Menú

La **Barra de Menú, que** vemos en la **Figura 11**, es uno de los elementos más importantes de la ventana Principal. Está ubicada debajo de la **Barra de Título** y contiene todos los comandos que existen en *Word* , distribuídos en 9 menúes. Los comandos son instrucciones que permiten ejecutar acciones. La tabla que figura a continuación contiene algunos ejemplos de comandos y la acción que realizan:

COMANDO	ACCION
ABRIR	Muestra en pantalla un documento ya existente.
CORTAR	Corta texto previamente seleccionado.
PEGAR	Pega lo que fue previamente cortado o copiado.
NUEVO	Muestra una página en blanco para iniciar un documento.

Figura 11. *Esta barra se usa para manejar archivos.*

1.4.1. ¿Cómo están ubicados los comandos en la Barra de Menú?

Como dijimos arriba están distribuidos en 9 menúes que son (de izquierda a derecha):

♦ Archivo
♦ Edición
♦ Ver
♦ Insertar
♦ Formato
♦ Herramientas
♦ Tabla
♦ Ventana
♦ Ayuda

La ubicación de los comandos sigue una lógica (salvo excepciones).

Un ejemplo de esto es el comando **Guardar,** que utilizamos para salvar un documento. Dicho comando está ubicado en el menú **Archivos** dado que esta acción tiene que ver con el manejo de Archivos.

Los comandos **Cortar** y **Pegar**, que permiten editar un documento, están ubicados en el menú **Edición**. Recordemos que editar un documento significa modificarlo, corregirlo, cambiar cosas de lugar, etc.

A lo largo de este manual los nombres de comandos y menúes estarán escritos en negritas y con mayúscula.

1.4.2. ¿Porqué algunos comandos de la barra de Menú poseen puntos suspensivos?

Los comandos seguidos de puntos suspensivos muestran un Cuadro de Diálogo cuando se los selecciona. Como veremos más adelante, un Cuadro de Diálogo es una ventana en donde ingresar información. Esto significa que la acción relacionada con ese comando requiere de información adicional que será ingresada en una ventana especial denominada Cuadro de Diálogo. En la **Figura 12** vemos el Cuadro de Diálogo **Abrir** que aparece cuando seleccionamos **Abrir** en el menú **Archivo**.

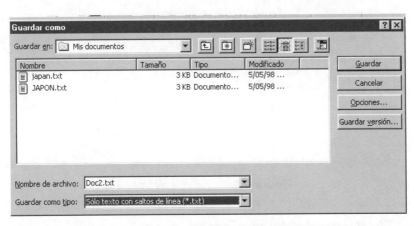

Figura 12. *Para abrir un documento hay que responder a un Cuadro de Diálogo.*

1.4.3. ¿Porqué todos los nombres de menúes y comandos tienen una letra subrayada?

La letra subrayada es la que tenemos que pulsar para acceder a dicho comando desde el teclado. Para desplegar un menú y seleccionar un comando utilizando el teclado procedemos así:

◆ Presionamos simultáneamente ALT + la letra subrayada del menú que queremos desplegar.

◆ Cuando se despliega el menú presionamos la letra subrayada del comando al que queremos acceder. Por ejemplo, para seleccionar del menú **Archivo** el comando **Guardar** utilizando el teclado presionamos simultáneamente ALT y la letra "A". Cuando se despliega el menú **Archivo** con los diferentes comandos presionamos la letra "G". Inmediatamente aparecerá el cuadro de diálogo **Guardar** para que ingresemos los demás datos.

♦ Una vez dentro del Cuadro de Diálogo **Guardar,** las opciones disponibles allí también se seleccionan pulsando ALT simultáneamente con el carácter subrayado de dicha opción.

La **Figura 13** muestra los comandos del menú **Archivo.** Las letras subraya das hacen las veces de comandos de ejecución

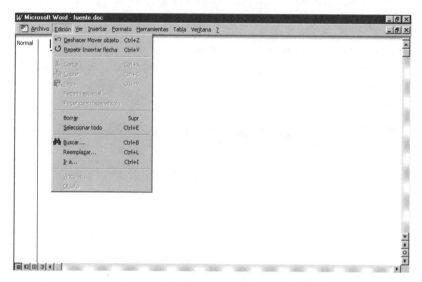

Figura 13. *Comandos del menú Archivo.*

1.5. Barras de Herramientas

Las Barras de Herramientas tienen una apariencia similar a la que muestra la **Figura 14**.

Existen en *Word* 13 Barras de Herramientas que pueden estar visibles o no. Una barra de Herramientas es un conjunto de botones desde donde realizamos tareas habituales de *Word*, por ejemplo abrir, copiar e imprimir archivos.

Si ubicamos el puntero sobre los botones aparece un cartel con la descripción de ese botón. A ese cartel se lo denomina "Pista". Además de las trece, podemos crear otras Barras de Herramientas Personalizadas con los botones más utilizados por nosotros.

1.5.1. ¿Para qué sirven las barras de Herramientas?

Las Barras de Herramientas son un modo rápido y directo de trabajar utilizando botones en lugar de comandos. Desde las Barras de Herramientas podemos hacer casi todo lo que podríamos hacer desde la barra de Menú.

Sin embargo, existen ordenes específicas que sólo pueden hacerse utilizando comandos, como por ejemplo la configuración exacta del ancho y alto de la columna de una tabla.

1.5.2. ¿Cómo mostramos las Barras de Herramientas?

Para mostrar una Barra de Herramientas hay que elegirla de una lista que aparece cuando ubicamos el puntero encima de cualquier barra y hacemos un clic con el botón derecho del Mouse.

1.5.3. ¿Cómo pulsamos los botones de las Barras de Herramientas sin utilizar el Mouse?

Para acceder a una Barra de Herramientas utilizando el teclado pulsamos ALT para activar la barra de Menú y luego CTRL+TAB hasta llegar a la barra deseada. Una vez allí utilizamos las flechas izquierda y derecha para llegar al botón deseado, el cual se ejecuta pulsando ENTER.

1.6. Barra de Herramientas Estándar.

Figura 14. *Barra de Herramientas Estándar.*

Es una de las trece Barras de Herramientas con que cuenta *Word* . La Barra de Herramientas Estándar, que observamos en la **Figura 14,** se encuentra generalmente debajo de la Barra de Menú, y es la que permite realizar las tareas más comunes de *Word* , como por ejemplo:

◆ Abrir, guardar e imprimir archivos.
◆ Cortar, copiar y pegar porciones de texto.
◆ Deshacer una acción equivocada.
◆ Crear una tabla.
◆ Activar las Barras de Herramientas, Dibujo, Bordes e Internet.
◆ Otras.

1.7. Barra de Herramientas Formato.

Generalmente ubicada debajo de la anterior, se utiliza para modificar el aspecto de un documento. Desde esta barra, que muestra la **Figura 15,** podemos:

♦ Modificar el tipo, estilo y tamaño de letra del texto seleccionado.

♦ Determinar la alineación de un párrafo seleccionado.

♦ Crear listas numeradas y listas con viñetas.

♦ Agregar o quitar la sangría de párrafo.

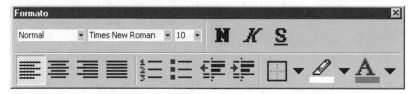

Figura 15. *Barra de Herramientas Formato.*

1.8. Barra de Herramientas Dibujo

Figura 16. *Barra de Herramientas Dibujo.*

La Barra de Dibujo (que muestra la **Figura 16**) puede estar visible o no. Esta barra es la que permite utilizar los botones como verdaderos utensilios de dibujo. Para visualizar la Barra de Dibujo hacemos un clic en el botón **Barra Dibujo** que se muestra en la **Figura 17** y que está ubicado en la Barra de Herramientas **Estándar**.

Figura 17. *Botón Barra Dibujo.*

Utilizando la Barra de Herramientas **Dibujo** podemos hacer las siguientes tareas:

♦ Incorporar dibujos desde otra aplicación o desde una librería.

♦ Dibujar.

♦ Pintar.

♦ Trabajar con Cuadros de Texto, Letreros, Autoformas, etc.

1.9. Barra de Herramientas Tablas y Bordes

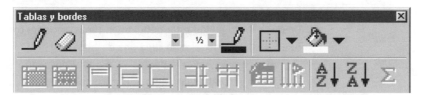

Figura 18. *Barra de Herramientas Tablas y Bordes.*

Esta barra, que vemos en la **Figura 18**, se utiliza para trabajar con tablas y para aplicar bordes a texto y/o dibujos. La Barra Tablas y Bordes aparece automáticamente cuando creamos una tabla.

1.10. Barra de Estado

Figura 19. *Barra de Estado.*

Ubicada en la parte inferior de la Ventana Principal nos informa lo que ocurre en *Word* en todo momento. La información de la Barra de Estado (que vemos en la **Figura 19**) varía de acuerdo con los cambios que ocurren en el entorno del programa. La tabla que se muestra a continuación contiene las abreviaturas y símbolos que pueden aparecer en la Barra de Estado y sus significados.

En la **Figura 20** mostramos la ubicación de todas las barras mencionadas con anterioridad.

ABREVIATURA	SIGNIFICADO
Pág. 9	Indica el número de página en la que se encuentra el cursor.
Sec. 1	Indica el número de sección en la que estamos trabajando. Un documento puede estar definido en varias secciones con características especiales en cada una de ellas.
3/5	El primer número indica la página en la que se encuentra el cursor. El segundo el total de las páginas, por ejemplo Pág. 3/5 quiere decir "Página 3 de un total de 5".
A 14 cm	Indica la distancia de la primera línea respecto del borde superior de la hoja.
Lín. 3	Indica el número de línea en la que se encuentra el cursor.
Col. 17	Indica el número de columna en el que se encuentra el cursor.
GRB	Indica que el grabador de macros está activado. Esto significa que se está grabando un conjunto de instrucciones que se ejecutarán luego, al presionar una combinación de teclas.
MCA	Indica el estado de las Marcas de Cambio. Las Marcas de Cambio son anotaciones que no se incluirán en el documento pero que sirven como recordatorios de los cambios que tenemos que hacer.
EXT	Indica que la tecla Extender Selección (F8) está activada. Esto significa que podemos seleccionar utilizando las flechas de direccionamiento.
SOB	Indica que el modo Sobreescribir está activado. El texto nuevo reemplazará al existente. El modo Sobreescribir se activa desde la tecla INSERT, o bien haciendo un doble clic en la Barra de Estado sobre la palabra SOB.
AWP	Indica que la ayuda para los usuarios de Word Perfect está activada. Aparece sólo si en el momento de la instalación se incorporó la ayuda para Word Perfect (un procesador de texto anterior a Word).
	Indica el estado de la revisión de ortografía y gramática. Cuando Word está comprobando si existen errores, aparece una pluma animada sobre el libro. Si no se encuentran errores, aparece un tilde verde.
	Indica que Word esta guardando un documento en segundo plano mientras trabaja.
	Indica que Word esta imprimiendo el documento en segundo plano mientras trabaja. Un número junto al ícono de impresora muestra el número de la página que se está imprimiendo. Para cancelar el trabajo de impresión hay que hacer doble clic sobre el ícono de la impresora.

Guía Visual - 1 - Vista general del Entorno Word .

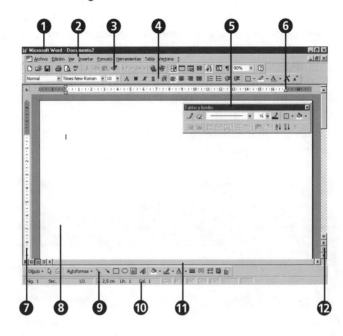

1 **Barra de Título.** Indica la aplicación y el documento en el que estamos trabajando.

2 **Barra de Menú.** Contiene todos los comandos que existen en Word.

3 **Barra Estándar.** Posee las herramientas de uso frecuente para manejo de archivos.

4 **Barra Formato**. Posee las herramientas para modificar el aspecto de la letra y el párrafo.

5 **Barra Tablas y Bordes.** Posee las herramientas para trabajar con tablas y bordes.

6 **Regla Horizontal.** Muestra los márgenes, sangría, etc.

7 **Regla Vertical.** Muestra el margen superior, inferior, tope de fila, etc.

8 **Barra de Selección.** Es virtual, se usa para seleccionar una línea, varios párrafos, etc.

9 **Barra Dibujo.** Posee las herramientas para dibujar y ordenar imágenes.

10 **Barra de Estado.** Esta barra le comunica al usuario la situación del entorno.

11 **Barra de Desplazamiento Horizontal.** Utilizando esta barra nos movemos hacia derecha e izquierda.

12 **Barra de Desplazamiento Vertical.** Utilizando esta barra nos movemos hacia arriba y hacia abajo.

2. VENTANA DEL DOCUMENTO

La Ventana del Documento se ve en la **Figura 24.** Al igual que la Ventana Principal, es otro de los elementos del entorno *Word*. Esta ventana está adentro de la Ventana Principal pero, cuando posee el máximo de su tamaño, aparece fusionada con la anterior dando la apariencia de una sola ventana.

La ventana del Documento contiene el documento en el que estamos trabajando. En *Word* existen tantas Ventanas de Documento como documentos abiertos en un instante dado. A continuación se muestran tres documentos abiertos simultáneamente, el nombre de cada uno de ellos figura en la Barra de Título correspondiente.

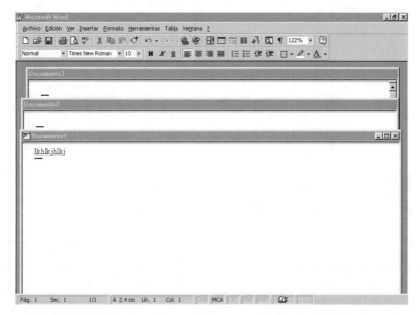

Figura 24. *Así se ven tres documentos abiertos simultáneamente.*

Recordemos que si bien pueden existir varios documentos abiertos simultáneamente, sólo uno estará activo en cada momento. El documento activo se distingue del resto por el color de su Barra de Título.

2.1. ¿Cómo pasamos de un documento abierto a otro?

Para movernos entre documentos abiertos tenemos que:

◆ Pulsar simultáneamente CTRL+F6.
◆ Observar el cambio de nombre del documento activo en la Barra de Título. También podemos pasar de un documento abierto a otro desde el menú **Ventana**, como se muestra en la **Figura 25**.

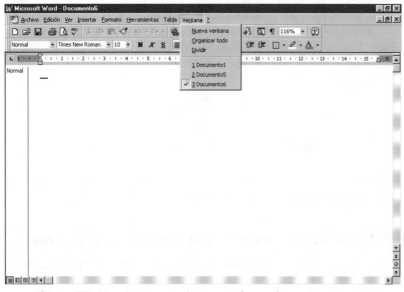

Figura 25. Menú que permite pasar de un documento a otro.

2.2. ¿Podemos dividir la Ventana del Documento?

Podemos hacerlo. Esta división generalmente se hace para visualizar en pantalla dos partes del documento distantes entre sí. Por ejemplo, podemos dividir la ventana del Documento para copiar y pegar texto entre dos párrafos que están muy alejados uno del otro pero que pertenecen al mismo documento.

Para dividir en dos la ventana de un documento y copiar texto de un lugar a otro procedemos así:

- ♦ En el menú **Ventana** seleccionamos **Dividir.**
- ♦ Verificamos que el puntero se transforma en flecha de dos cabezas.
- ♦ Ubicamos la flecha de dos cabezas a la altura de la ventana donde aparecerá la división.
- ♦ Pulsamos ENTER.
- ♦ Verificamos que la ventana queda partida en dos.
- ♦ En la ventana superior seleccionamos el texto a copiar.
- ♦ Pulsamos el botón **Copiar,** que se muestra en la **Figura 26.**

Figura 26. Un clic aquí y copiamos lo que está seleccionado.

♦ Pulsamos F6 para pasar a la ventana inferior.

♦ Ubicamos el cursor en el lugar de destino, es decir, en donde vamos a pegar el texto copiado.

♦ Pulsamos el botón **Pegar,** que se muestra en la **Figura 27**.

Figura 27. *Un clic aquí y pegamos lo copiado.*

Para eliminar la división y volver a una única ventana seleccionamos, en el Menú **Ventana**, la opción **Quitar división.**

2.3. ¿Cómo está formada la ventana del Documento?

La ventana del Documento está formada por los siguientes elementos:

♦ Una **Barra de Título del Documento**.

♦ Tres **Botones de Control del Documento**.

♦ Un **Icono de Control del Documento**.

♦ Dos **Reglas**.

♦ Un **Area de texto**.

♦ Dos **Barras de Desplazamiento** .

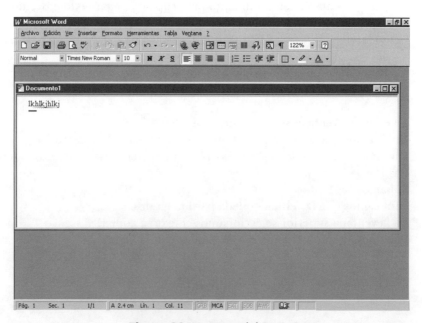

Figura 28. *Ventana del Documento.*

La **Figura 28** muestra la Ventana del Documento. Si bien la misma no está maximizada, se alcanzan a distinguir todos los elementos mencionados arriba y que describiremos a continuación.

2.4. Barra de Título del Documento

Podemos observarla en la **Figura 29**. Contiene el nombre del documento en el que estamos trabajando.

Figura 29. *Esta barra nos dice en qué documento estamos trabajando.*

Cuando iniciamos una sesión de *Word* , la Barra de Título del Documento muestra el nombre DOCUMENTO 1. *Word* denomina así al nuevo documento hasta que el usuario le ponga el nombre que él elija. Cuando la ventana del Documento está maximizada se fusionan la Barra de Título de *Word* y la del documento y por lo tanto existe una única barra de Titulo con el nombre de la aplicación junto al nombre del documento activo.Por ejemplo, "Microsoft *Word* - Documento 1", como muestra la **Figura 30**.

Figura 30. *Así se ven las barras de Título cuando abrimos Word.*

La barra de Título del Documento sirve para:

- ◆ Indicarnos el nombre del documento en el que estamos trabajando.
- ◆ Indicarnos si el documento está activo o no.
- ◆ Mover la ventana del Documento.

2.5. Botones de Control del Documento

Figura 31. *Estos botones se usan para variar el tamaño del documento.*

Tienen una función similar a los botones de Control de la Ventana Principal, ya que se utilizan para determinar el tamaño de la Ventana. Los cambios de tamaño tendrán lugar sólo sobre la ventana del Documento mientras que la Ventana Principal permanecerá igual. Los Botones de Control del Documento,que vemos en la **Figura 31**, están ubicados en el extremo derecho de la Barra de Título del Documento. Si las barras de título están fusionadas aparecen en la Barra de Menú.

Entorno de Word

2.5.1. Botón de Control Minimizar

Figura 32. *Un clic aquí y el documento pasa a un ícono.*

Este botón, que vemos en la **Figura 32**, tiene el aspecto de un guión. Se utiliza para reducir el documento a un ícono. Al minimizar un documento lo sacamos temporalmente de la pantalla pero no lo cerramos. Esto generalmente se hace para trabajar en otro documento también abierto y más tarde volver al que se encuentra minimizado. El documento minimizado puede ser maximizado pulsando dos veces sobre su ícono. La **Figura 33** muestra dos documentos minimizados.

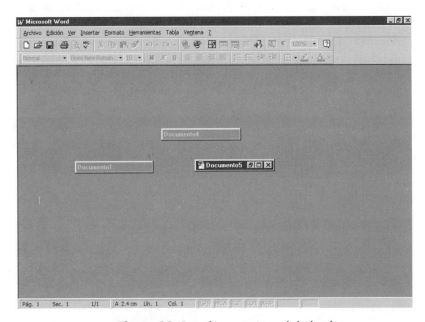

Figura 33. *Dos documentos minimizados.*

2.5.2. Botón de Control Restaurar

Figura 34. *Este botón lleva el documento a un tamaño intermedio.*

Situado a la derecha del anterior, este botón, que observamos en la **Figura 34**, lleva la Ventana del Documento a un tamaño intermedio que deja ver otros documentos abiertos detrás. La **Figura 35** muestra la Ventana del Documento de un tamaño intermedio.

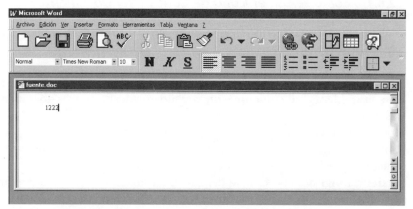

Figura 35. *Documento en un tamaño intermedio.*

2.5.3. Botón de Control Cerrar

Figura 36. *Un clic aquí y cerramos el documento.*

Está representado por una cruz, como vemos en la **Figura 36**. Cuando hacemos un clic sobre él se cierra el Documento. Si el documento no fue guardado aparece un mensaje sugiriéndonos que lo guardemos antes de cerrar.

2.5.4. Botón de Control Maximizar

Figura 37. *Botón de Control Maximizar.*

El botón *Control Maximizar* que aparece en la **Figura 37**, está habilitado sólo cuando el documento no ocupa toda la pantalla. Si lo pulsamos, el documento toma su tamaño máximo.

2.6. Icono de Control del Documento

Está representado por la letra "W" y se encuentra sobre el extremo izquierdo de la Barra de Título del Documento. Se utiliza para determinar el tamaño y la posición de la ventana del Documento.

2.6.1. ¿Cómo se usa el Icono de Control del Documento?

Para utilizar este ícono hay que hacer un clic sobre la W o bien presionar ALT+GUIóN desde el teclado. En el menú que aparece elegir alguno de los siguientes comandos:

♦ **Restaurar**: Lleva el documento a un tamaño que deja ver otros documentos detrás de él.
♦ **Mover**: Permite mover de lugar el documento activo.
♦ **Tamaño**: Permite personalizar el tamaño de la ventana del documento activo.
♦ **Minimizar**: Reduce el documento a un ícono, pero no lo cierra.
♦ **Maximizar**: Agranda la ventana del Documento al máximo de su tamaño.
♦ **Cerrar**: Cierra el documento activo.

Recordemos que también podemos modificar el tamaño de la Ventana del Documento ubicando el puntero justo en el límite de la ventana y, cuando éste toma forma de flecha de dos cabezas, arrastrando en la dirección correspondiente. Esto generalmente se hace cuando tenemos abiertas dos ventanas y queremos verlas juntas en la pantalla. En este caso llevamos ambas a un tamaño intermedio, y manteniendo pulsado el botón izquierdo del Mouse sobre la Barra de Título, arrastramos cada una de las ventanas hasta ponerlas una al lado de la otra.

2.7. La Regla

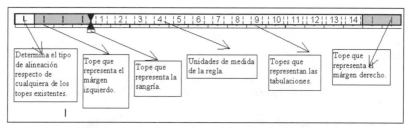

Figura 38. Descripción de la Regla Horizontal.

Existen dos tipos de regla en *Word*, la Vertical y la Horizontal, (esta última es la que se observa en la **Figura 38**). Las reglas pueden estar visibles o no. La decisión de mostrar o no la regla depende del tipo de tarea que estemos realizando. Por ejemplo, si estamos ingresando o editando texto, no tiene sentido mostrar las reglas ya que no las utilizaremos y lo único que harán será quitar espacio al Area de Texto. Para presentar u ocultar las reglas hay que hacer un clic en **Regla** en el menú **Ver**.

2.7.1. ¿Para qué se utilizan las reglas?

Se utilizan para modificar rápidamente sangrías de párrafo, márgenes de página, ancho de columnas, ancho de columnas de tabla, tabulaciones, etc.

2.7.2. ¿Cuáles son los elementos con que cuenta la regla?

La regla cuenta con el siguiente grupo de elementos :

◆ Una **Escala de Medidas.**
◆ Un **Tope de Sangría de Párrafo**.
◆ Un **Tope de Márgenes de Página**.
◆ Un **Tope de Tabulaciones**.
◆ Un **Tope de Ancho de Columna**.

Escala de Medidas

Es una escala numérica que puede estar en:

◆ Centímetros
◆ Puntos
◆ Picas

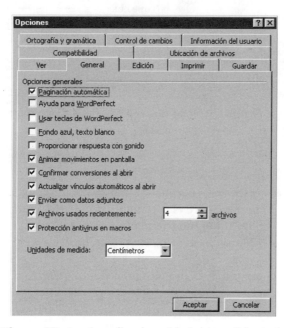

Figura 39. *Aquí se elige la unidad de medida de la regla.*

Para cambiar la unidad de medida de la regla hay que proceder así:

- En el menú **Herramientas,** seleccionar **Opciones** y luego la ficha **General**.
- Verificar que aparece el Cuadro de Diálogo que muestra la **Figura 39**.
- Desplegar la lista **Unidad de Medida.**
- En la lista que aparece, elegir la unidad de medida deseada, por ejemplo ¨Centímetros¨.
- Pulsar **Aceptar.**

Tope Sangría de Párrafo

Representa la sangría de un párrafo en la regla. Sólo aparece en la regla Horizontal y se ve como dos triángulos enfrentados por el vértice. El triángulo superior representa la sangría de la primera línea del párrafo en el que se encuentra el cursor, mientras que el inferior representa la sangría del resto del párrafo.La **Figura 40** muestra el Tope que representa la Sangría Izquierda.

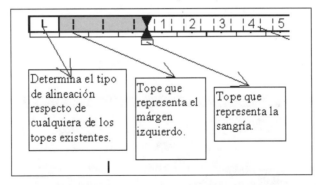

Figura 40. *Tope que representa la Sangría Izquierda.*

Para modificar la sangría de todo un párrafo utilizando la regla procedemos del siguiente modo:
- Ubicamos el cursor en el párrafo cuya sangría queremos modificar.
- Ubicamos el puntero sobre el rectángulo donde reposan ambos triángulos.
- Pulsamos el botón izquierdo y lo mantenemos pulsado.
- Arrastramos el Mouse hasta la nueva posición.

Para modificar la sangría de la primera línea de un párrafo hay que arrastrar sólo el triángulo superior.

Topes de Márgenes de Página

Son otros dos elementos de la regla. Los topes de Márgenes de Página indican los márgenes de la página en la que se encuentra el cursor Estos elementos tienen el aspecto de una franja oscura ubicada a los extremos de ambas reglas. La **Figura 41** muestra el tope de Margen Derecho.

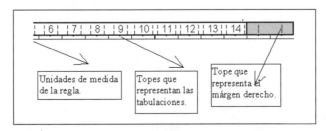

Figura 41. *Estos topes se usan para variar los márgenes del documento.*

Para modificar los márgenes utilizando la regla procedemos del siguiente modo:

♦ Ubicamos el cursor en la página cuyo margen queremos modificar
♦ Ubicamos el puntero sobre el límite del tope de Margen.
♦ Cuando el puntero pasa a flecha de dos cabezas pulsamos el botón izquierdo del Mouse y lo mantenemos pulsado.
♦ Pulsamos la tecla ALT y la mantenemos pulsada.
♦ Arrastramos el Mouse hasta la nueva posición.

Tope Tabulaciones

Los topes de Tabulación sólo aparecen en la regla Horizontal y tienen el aspecto de pequeños puntos grises prácticamente imperceptibles que se encuentran a 1.25 cm unos de otros (Ver **Figura 38**). El modo de modificar las tabulaciones utilizando la regla se verá en el capítulo Tablas y Tabulaciones.

Tope Ancho de Columnas

Es otro de los elementos de la regla. Los topes Ancho de Columnas se ven como rectángulos rellenos de puntos e indican los límites de una columna. Estos topes sólo aparecen cuando el cursor se encuentra dentro de una tabla o dentro de una columna Estilo Periódico. La **Figura 42** muestra el aspecto que tienen los topes de Ancho de Columnas.

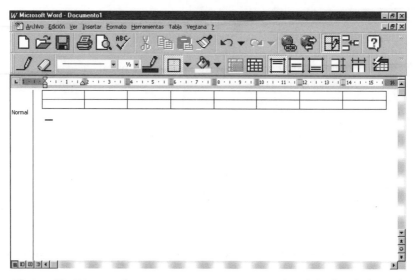

Figura 42. *Estos son los topes que se usan para variar el Ancho de las Columnas.*

2.8. Area de Texto de la ventana del Documento

Es otro de los elementos que forman la ventana del Documento. El Area de Texto es el lugar en donde escribimos. Cuando ingresamos a *Word* , el Area de Texto es la parte blanca que vemos en el centro de la pantalla. Su tamaño depende del tamaño de la ventana del Documento y de la cantidad de barras de Herramientas visibles. La **Figura 43** muestra un **Area de Texto**.

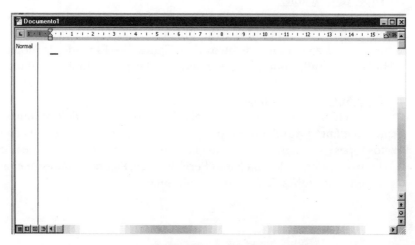

Figura 43. *Aquí se escribe.*

2.9. Barras de Desplazamiento

Figura 44. Esta barra se usa para mover la pantalla de izquierda a derecha.

Las Barras de Desplazamiento son dos, **Horizontal** (que vemos en la **Figura 44**) y **Vertical**. La Horizontal está ubicada en la parte inferior de la ventana mientras que la Vertical aparece a la derecha de la pantalla. Las barras de Desplazamiento pueden estar visibles o no.

Para mostrar u ocultar Barras de Desplazamiento hay que:

◆ Seleccionar, en el menú **Herramientas**, el comando **Opciones** y luego **General.**
◆ Verificar que aparece el Cuadro de Diálogo que se muestra en la **Figura 45**.

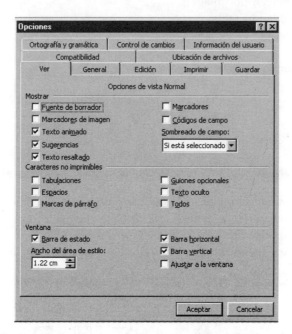

Figura 45. Desde este cuadro se muestra u ocultan las barras de Desplazamiento.

◆ Habilitar o deshabilitar los casilleros **Barra de Desplazamiento Vertical** y **Barra de Desplazamiento Horizontal,** que aparecen en la parte inferior derecha de la ventana.

2.9.1. ¿Para qué sirven las Barras de Desplazamiento?

Como su nombre lo indica, las Barras de Desplazamiento sirven para desplazarnos a lo largo del documento. Antes de utilizar estas barras hay que tener en cuenta lo siguiente:

1. Si pulsamos con el Mouse sobre las flechas simples nos movemos tramos pequeños hacia izquierda y derecha o hacia arriba y hacia abajo.
2. Si pulsamos dentro de la barra nos movemos a saltos en la dirección elegida.
3. Si arrastramos el cuadrado central hacia los laterales o hacia arriba y   hacia abajo avanzamos a gusto en cualquiera de estas cuatro direcciones.
4. Si pulsamos sobre el botón representado por una bolilla aparece un menú con 12 modos distintos de recorrer el documento. Los siguientes son ejemplos de modos como podemos recorrer un documento:

   ♦ Modo página por página.
   ♦ Modo imagen por imagen.
   ♦ Modo tabla por tabla
   ♦ Otros.

La **Figura 46** muestra cómo se ve el selector de modos:

Figura 46. *Un clic aquí y se elige el modo de recorrer el documento.*

Una vez seleccionado un modo, si pulsamos sobre la doble flecha ascendente o descendente, el cursor saltará al elemento anterior o posterior elegido en el modo.

La **Figura 47** muestra los 12 modos de recorrer el documento.

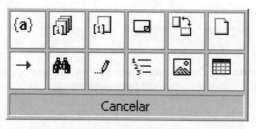

Figura 47. *Estos son los 12 modos de recorrer el documento.*

Lo anterior implica que las Flechas dobles de la Barra Vertical trabajan en combinación con el botón que se encuentra en el medio y que tiene forma de bolilla. La bolilla es un selector de modos de recorrer un documento mientras que las flechas son los elementos que nos llevan hasta el elemento anterior o posterior elegido en el modo.

El siguiente ejemplo ayudará a entender este concepto: Supongamos que necesitamos supervisar todas las tablas contenidas en un documento. Lo primero que hacemos es seleccionar el modo **Tabla.** Luego, al pulsar alguna de las Flechas Dobles de la Barra de Herramientas Vertical, el cursor saltará automáticamente a la tabla anterior o a la tabla siguiente del documento.

2.9.2. ¿Para qué sirven los botones que aparecen a la izquierda de la Barra de Desplazamiento Horizontal?

Se trata de los siguientes Botones, (ver **Figura 48**):

♦ Presentación Normal
♦ Presentación Diseño de Pantalla.
♦ Presentación Diseño de Página
♦ Presentación Esquema.

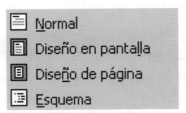

Figura 48. *Botones que permiten variar el aspecto de la pantalla.*

Estos botones se utilizan para cambiar el aspecto de la pantalla.

En el capítulo Presentaciones estudiaremos en detalle los distintos modos de presentar un documento en pantalla . Aquí incluimos una breve explicación de cada uno de ellos.

Presentación Normal

Es el modo en que vemos el documento cuando ingresamos a *Word* .
Se usa para escribir y editar texto.
La **Figura 49** muestra el Botón Presentación Normal.

Figura 49. *Un clic aquí e iniciamos la escritura.*

Entorno de Word 1

Presentación Diseño de Pantalla

Se utiliza para la lectura por pantalla dado que la letra aparece más legible aquí que en cualquier otra presentación. La **Figura 50** muestra la apariencia del Botón Presentación Diseño de Pantalla.

Figura 50. Un clic aquí para leer.

Presentación Diseño de Página

Permite ver los bordes de la hoja. Se utiliza para cambiar los márgenes, los encabezados y pies de página, etc. La **Figura 51** muestra dicho botón.

Figura 51. Un clic aquí y vemos toda la hoja.

Presentación Esquema

Generalmente se utiliza con documentos extensos. Con esta presentación podemos contraer todo el texto y mostrar sólo los títulos. La **Figura 52** muestra el Botón Presentación Esquema.

Figura 52. Un clic aquí y vemos sólo los títulos que queremos.

3. CUADROS DE DIÁLOGO

Existen otros elementos en el Entorno *Word* además de la Ventana Principal y de la Ventana del Documento. El Cuadro de Diálogo es uno de ellos. Los Cuadros de Diálogo permiten ingresar información adicional para que una acción pueda llevarse a cabo. Por ejemplo, en el Cuadro de Diálogo **Abrir,** ingresamos el nombre y la ubicación de un documento para que pueda iniciarse la búsqueda y apertura del mismo. La **Figura 53** muestra el aspecto que tiene un Cuadro de Diálogo.

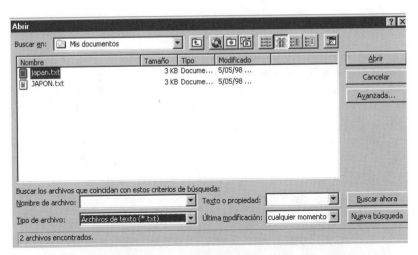

Figura 53. Un ejemplo del Cuadro de Diálogo Abrir.

Los elementos que podemos encontrar en un Cuadro de Diálogo son:

◆ Casillero de Lista.
◆ Cuadros de Texto.
◆ Botones.
◆ Casilleros Redondos.
◆ Casilleros Cuadrados.

A continuación se analiza cada uno de ellos.

3.1. Casillero de lista.

Es un casillero en el que podemos o bien escribir, o bien elegir un elemento de una lista que se despliega cuando hacemos un clic en la flecha del casillero. En la **Figura 54** se ve un Casillero de Lista desplegado.

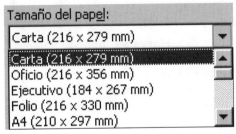

Figura 54. Un clic en la flechita de la derecha y se despliega la lista.

Para seleccionar una opción de la lista hay que:

◆ Hacer un clic con el Mouse sobre la flecha descendente del **Casillero de Lista**.
◆ Verificar que aparece una lista con opciones.
◆ Hacer un clic sobre alguna de las opciones.
◆ Verificar que dicha opción aparece escrita dentro del casillero. .

Para escribir dentro del Casillero de Lista hay que hacer un clic dentro del Casillero y, cuando el cursor se encuentra dentro, escribir.

3.2. Cuadro de Texto

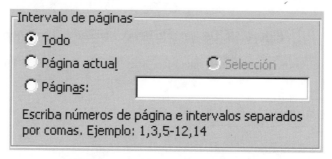

Figura 55. *Ejemplo de un Cuadro de Texto.*

El Cuadro de Texto es otro de los elementos que puede aparecer en un Cuadro de Diálogo. Es un elemento similar al anterior pero no tiene asociada una lista de opciones. Para ingresar un valor hay que escribir adentro. La **Figura 55** representa un típico Cuadro de Texto.

3.3. Botones

Figura 56. *Tipos de Botones.*

Los botones son elementos que casi siempre aparecen en un Cuadro de Diálogo. Ejecutan acciones cuando se los pulsa. El nombre de la acción generalmente está escrito en la superficie del botón. Los vemos en la **Figura 56**.

3.4. Casilleros Redondos

Los Casilleros Redondos permiten habilitar una opción entre varias que son excluyentes entre sí. Cuando habilitamos un Casillero Redondo todos los demás quedan automáticamente deshabilitados. La **Figura 57** sirve de guía para entender el siguiente ejemplo.

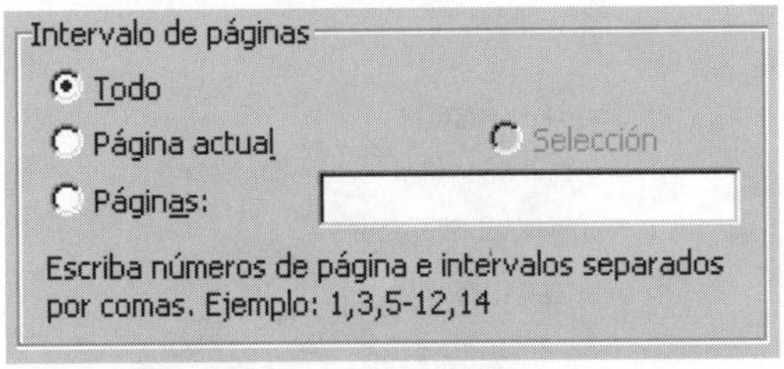

> Intervalo de páginas
> ⦿ Todo
> ○ Página actual   ○ Selección
> ○ Páginas: [   ]
> Escriba números de página e intervalos separados por comas. Ejemplo: 1,3,5-12,14

Figura 57. *Ejemplo de Casilleros Redondos.*

En el Cuadro de Diálogo **Imprimir**, si seleccionamos la opción **Imprimir Todo**, no podemos seleccionar **Imprimir Página Actual**, dado que, o bien imprimimos todo el documento o bien imprimimos sólo una página. En este caso vemos que se trata de dos opciones excluyentes entre sí.

Para habilitar un casillero Redondo hay que hacer un clic sobre el casillero que queremos habilitar y verificar que cambia de color.

3.5. Casilleros Cuadrados

Los Casilleros Cuadrados permiten habilitar varias opciones que no son excluyentes entre sí. Esto significa que, a diferencia de los Casilleros Redondos, podemos habilitar varios Casilleros Cuadrados simultáneamente.

Para habilitar un casillero Cuadrado procedemos del siguiente modo:
- Ubicamos el puntero sobre el casillero que queremos habilitar.
- Hacemos un clic.
- Verificamos que aparece una cruz o un tilde dentro del casillero.

La **Figura 58** muestra un ejemplo de Casilleros Cuadrados que se encuentran en el menú **Herramientas**, Cuadro de Diálogo **Opciones**.

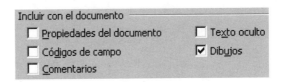

Figura 58. *Ejemplo de Casilleros Cuadrados.*

4. MENU CONTEXTUAL

El Menú Contextual es otro de los elementos del entorno *Word* . Un Menú Contextual es una lista de comandos que aparece cuando pulsamos el botón derecho del Mouse. El contenido del Menú Contextual depende del lugar donde esté ubicado el puntero al momento de hacerse el clic. El **Menú Contextual Tablas** que se ve en la **Figura 59** es un típico ejemplo de este elemento.

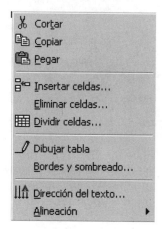

Figura 59. Desde aquí modificamos los elementos de una Tabla.

4.1. ¿Para qué se utiliza un Menú Contextual?

Un Menú Contextual se utiliza para elegir comandos sin necesidad de recurrir a la Barra de Herramientas o a la Barra de Menú.

Para seleccionar un comando de un Menú Contextual hay que:

- Ubicar el puntero en algún lugar de la pantalla.
- Pulsar el botón derecho del Mouse.
- Verificar que aparece el Menú Contextual correspondiente.
- Hacer un clic sobre el comando a ejecutar.

5. CUADRO DE INFORMACIÓN GENERAL

Es otro de los elementos del entorno Microsoft *Word*. Un Cuadro de Información General es una ventana que trasmite un mensaje. Los Cuadros de Información General pueden contar con botones para aceptar o cancelar el mensaje. También pueden existir botones para agregar información. La **Figura 60** muestra el aspecto que tiene un **Cuadro de Información General**.

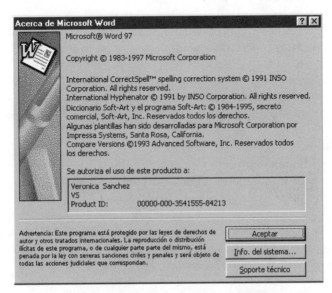

Figura 60. *Cuadro de Información General.*

PROBLEMAS

1. Clara lee información de un libro y la escribe en la computadora. Cuando va por la mitad hace un clic en el botón **Guardar** de la Barra de Herramientas Estándar pero, inesperadamente, la pantalla se pone toda blanca y su documento desaparece. Clara cree que perdió todo y empieza de nuevo, sin embargo, cuando cierra *Word* , el documento viejo aparece oculto detrás del nuevo. Clara no entiende que pasó.

2. Antonio necesita reducir el tamaño de la fuente de su documento utilizando la barra de Herramienta **Formato,** pero esta Barra no está visible.

3. Amalia quiere agregar texto a un párrafo, pero el texto nuevo borra al viejo en vez de empujarlo como pasaba antes. Amalia no sabe cómo corregir este problema. Buscando una solución sale de *Word* perdiendo la información que ingresó.

4. Emilio inicia una impresión y en ese mismo instante se da cuenta de que se olvidó de modificar algo. Como no sabe cómo detener la impresión acepta que el documento se imprima con el error.

5. A Laura le gusta trabajar en *Word* utilizando las Barras de Herramientas. Cuando tiene que modificar el interlineado de un párrafo se lamenta de que no exista un botón que permita realizar ésta tarea.

6. Mónica necesita modificar los márgenes de su documento y no sabe cómo hacerlo.

SOLUCIONES

1. Lo que pudo haber ocurrido en este caso es que Clara pulsó por error el botón **Nuevo** que está al lado del botón **Guardar** (ver **Figura 61**).

Figura 61. *Botón nuevo y Botón Guardar.*

Al hacerlo apareció un segundo documento que tapó al primero.
Recordemos que en *Word* puede haber múltiples documentos abiertos, pero sólo uno de ellos estará activo en cada momento.
Si Clara hubiese reparado en el cambio de nombre de la Barra de Título se hubiese dado cuenta de que su documento estaba oculto detrás de uno nuevo generado accidentalmente.
En *Word* podemos movernos entre documentos abiertos pulsando CTRL+F6.
También podemos utilizar el Botón de Control **Restaurar** para reducir las ventanas de los documentos a un tamaño intermedio que permita visualizar la Barra de Título de otros documentos abiertos detrás.

2. Las Barras de Herramientas pueden estar o no visibles. Para mostrarlas u ocultarlas hay que hacer un clic con el botón derecho del Mouse sobre cualquier Barra que esté visible y seleccionarla de la lista de Barras de Herramienta que aparece.

3. Amalia tiene que deshabilitar la función **Sobreescribir** pulsando dos veces sobre la abreviación SOB que aparece en la Barra de Estado.

4. Para detener una impresión hay que hacer doble clic sobre el ícono **con forma de impresora** que aparece en la parte inferior de la pantalla.

5. Laura puede personalizar las barras de Herramientas Formato e incluir el botón **Interlineado** que tanto utiliza.

   Para agregar un botón a la barra Formato hay que proceder así:

   ♦ Seleccionar los comandos **Herramientas/Personalizar**.
   ♦ Verificar que aparece el Cuadro de Diálogo **Personalizar.**
   ♦ Seleccionar la categoría **Formato** entre las que aparecen a la izquierda de la ventana.
   ♦ Seleccionar por turno los botones **interlineado Simple**, **Doble** y **1,5** de la lista de botones que aparecen a la derecha de la ventana.
   ♦ Arrastrar con el Mouse el botón hasta la Barra.

♦ Verificar que los botones seleccionados aparecen allí. Si no aparecen, puede que estén ocultos por falta de espacio. En ese caso, pulsar dos veces sobre el extremo izquierdo de la barra para que la misma se muestre por completo. Para volver la barra a su lugar hay que arrastrarla con el Mouse hasta su posición original.

6. Existen varios modos de hacerlo, el más directo es utilizando la regla. Para modificar los márgenes utilizando la regla hay que:

♦ En **Ver** elegir **Presentación Diseño de Página**.
♦ Una vez en **Presentación Diseño de Página** mostrar ambas reglas eligiendo **Ver** y luego **Regla**.
♦ Identificar los 4 **topes de Márgenes** en ambas reglas (Zonas grises en los extremos).
♦ Ubicar el puntero sobre el límite de alguno de los cuatro Topes de Margen .
♦ Pulsar el botón izquierdo del Mouse y mantenerlo pulsado.
♦ Pulsar ALT y mantenerla pulsada.
♦ Cuando el puntero pasa a flecha de dos cabezas y aparece una línea de puntos indicando la posición y medida del margen arrastrar el Mouse hasta la nueva posición.

EDICIÓN

2

Tiempo de lectura y práctica:
1 hora

Objetivo de la lección

En este capítulo aprenderemos a:
- ■ Modificar, corregir y borrar texto.
- ■ Desplazarnos a lo largo del documento.
- ■ Mover texto de un lugar a otro.
- ■ Copiar, cortar y pegar.
- ■ Revisar automáticamente la ortografía.

1. ESCRIBIR EN *WORD*

Cuando iniciamos *Word*, lo primero que vemos en pantalla es un sector blanco que simula una página en donde empezar a escribir. Antes de escribir, es conveniente determinar la posición del cursor, que es un guión vertical intermitente, también llamado Punto de Inserción, donde aparecerá el texto. Es importante no confundir el cursor con el puntero, que es el que indica la posición del *Mouse* en la pantalla, y que cuando está en el Area de texto tiene la forma de una Doble T (]). Para ubicar el cursor en la posición del puntero hay que hacer un clic con el botón izquierdo del *Mouse*. Sin embargo, es importante destacar que no podremos llevar con el *Mouse* el cursor hasta la parte de la hoja que no está escrita. Esto se hace utilizando la tecla *ENTER*.

1.1. ¿Qué pasa cuando llegamos al final de la línea?

A diferencia de lo que ocurre con la máquina de escribir, en *Word* no hay que pasar al renglón siguiente ya que la máquina lo hace automáticamente.

Si queremos separar el texto en dos párrafos o agregar líneas en blanco, entonces sí pulsamos *ENTER*. *ENTER* no sólo lleva el cursor al próximo renglón sino que agrega un **Marcador de Fin de Párrafo,** que es una marca oculta. Aunque normalmente no se ven, los **Marcadores de Fin de Párrafo** tienen el aspecto que muestra la **Figura 1**.

Figura 1. *Marcadores de Fin de Párrafo.*

Los Marcadores de Fin de Párrafo, además de marcar el fin de un párrafo y el comienzo de otro, acumulan información sobre el tipo, tamaño, y estilo del texto que delimitan. Esto hace posible que convivan en una misma hoja párrafos de aspectos diferentes, como se muestra en la **Figura 2**.

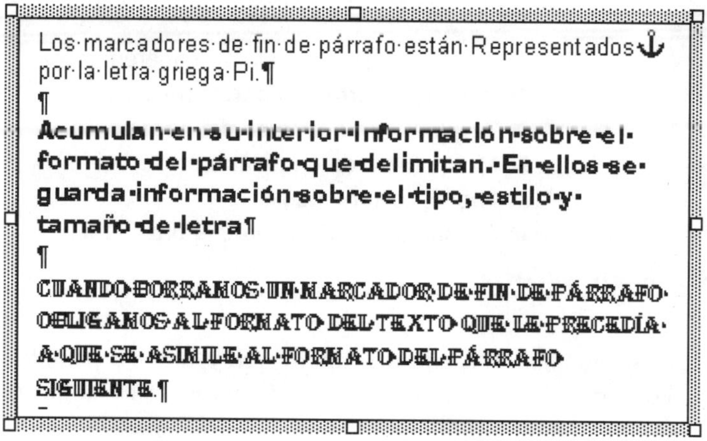

Los marcadores de fin de párrafo están Representados por la letra griega Pi.¶
¶
Acumulan en su interior Información sobre el formato del párrafo que delimitan. En ellos se guarda información sobre el tipo, estilo y tamaño de letra¶
¶
CUANDO BORRAMOS UN MARCADOR DE FIN DE PÁRRAFO OBLIGAMOS AL FORMATO DEL TEXTO QUE LE PRECEDÍA A QUE SE ASIMILE AL FORMATO DEL PÁRRAFO SIGUIENTE.¶

Figura 2. *Varios párrafos de aspecto diferente.*

Como dijimos antes, los Marcadores de Fin de Párrafo normalmente no están visibles. Para mostrarlos hacemos un clic en el botón **Ver/Ocultar Códigos Ocultos,** ubicado en la Barra de Herramientas **Estándar,** que muestra la **Figura 3**.

Figura 3. *Botón Ver/Ocultar Códigos Ocultos.*

2. DESPLAZAMIENTO

Cuando nos desplazamos a lo largo de un documento, los movimientos posibles son a la derecha, a la izquierda, hacia arriba o hacia abajo. Estos movimientos se realizan del siguiente modo:

2.1. Desplazamiento utilizando las flechas de direccionamiento ubicadas en la parte inferior derecha del teclado.

Figura 4. *Flechas para desplazarse utilizando el teclado.*

Estas flechas, que muestra la **Figura 4**, se utilizan para mover el cursor entre caracteres y para pasar de un renglón a otro. Con estas flechas NO PODEMOS LLEVAR EL CURSOR HASTA LA PARTE DE LA HOJA QUE NO ESTÁ ESCRITA. Este desplazamiento se hace utilizando la tecla *ENTER.*

2.2. Movernos a lo largo del documento utilizando la Barra de Desplazamiento Horizontal y Vertical.

Existen dos Barras de Desplazamiento: una Horizontal, que vemos en la **Figura 5**, ubicada en la parte inferior de la pantalla, y otra Vertical ubicada a la derecha. Estas barras se usan para recorrer las hojas.

Figura 5. *Barra de Desplazamiento Horizontal.*

Antes de utilizar cualquiera de estas dos barras es importante saber que:

♦ Haciendo un clic sobre las flechas simples que se encuentran en los extremos de las barras nos movemos tramos pequeños hacia la izquierda y la derecha o hacia arriba y hacia abajo.
♦ Deslizando el cuadrado que corre dentro de estas dos barras avanzamos a gusto en cualquiera de los cuatro sentidos.
♦ En la barra Vertical existen tres elementos, que se muestran en la **Figura 6**.

Figura 6. *Elementos de la Barra de Desplazamiento Vertical.*

Pulsando sobre la bolilla aparece el menú que muestra la **Figura 7**, con los 12 modos distintos de recorrer el documento.

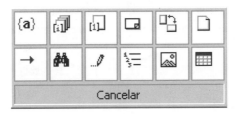

Figura 7. *Los 12 modos de recorrer el documento.*

Los siguientes son ejemplos de modos de recorrido de un documento:

♦ Modo página por página.
♦ Modo imagen por imagen
♦ Modo tabla por tabla
♦ Otros.

Una vez seleccionado un modo, si pulsamos las flechas dobles que están arriba y abajo de la bolilla, el cursor saltará al elemento anterior o posterior elegido en el modo.

Es decir, las flechas dobles de la barra Vertical trabajan en combinación con el botón que se encuentra en el medio y que tiene forma de bolilla.

La bolilla es un selector de modos de recorrer un documento, las flechas son los elementos que nos llevan hasta allí. Si, por ejemplo, seleccionamos el modo Tabla, al pulsar las flechas dobles el cursor saltará automáticamente a la tabla anterior o a la tabla siguiente.

2.3. Desplazamiento utilizando Atajos de Teclado.

Los atajos de teclado más utilizados para el desplazamiento se muestran en la tabla de la página siguiente:

DESPLAZAMIENTO	ATAJOS DE TECLADO
Palabra	CTRL más flecha izquierda (◄) o derecha (►) para saltar una palabra a izquierda o derecha
Final o comienzo de una línea	END o HOME
Párrafo arriba o abajo	CTRL más flecha ascendente (▲) o descendente (▼)
Varios párrafos arriba o abajo	Mantener presionada CTRL y pulsar la flecha ascendente (▲) o descendente (▼) tantas veces como párrafos se desee saltar
Pantalla hacia abajo o hacia arriba	PAGE DOWN o PAGE UP
Hasta el comienzo del documento	CTRL+HOME
Hasta el final del Documento.	CTRL+END
Saltar a una página determinada	F5 y allí elegir el número de página

3. SELECCIONAR TEXTO

3.1. ¿Qué significa Seleccionar texto?

Cuando una porción de texto está seleccionada se ve destacada por un color que usualmente es el opuesto al del fondo de la pantalla. La **Figura 8** muestra cómo se ve una porción de texto seleccionado.

Este párrafo fue seleccionado para subrayarlo pulsando simultáneamente CTRL+S

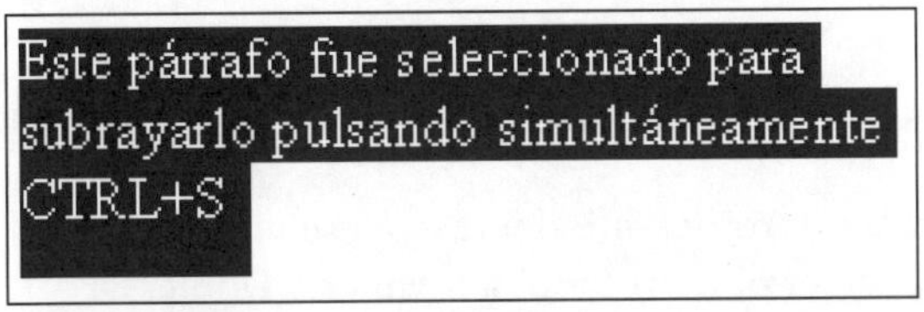

Figura 8. *Porción de texto seleccionado.*

Cuando un gráfico está seleccionado aparecen cuadrados negros a su alrededor, que se denominan Controladores de Tamaño y que muestra la **Figura 9**.

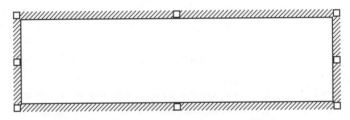

Figura 9. *Gráfico seleccionado.*

3.2. ¿Para qué seleccionamos texto o gráficos ?

Cuando queremos modificar algo en un documento, lo primero que hacemos es seleccionarlo; por ejemplo, para agrandar las letras de un título, primero seleccionamos el título y luego elegimos un tamaño más grande de letra. Otro ejemplo es el siguiente; para mover un dibujo primero lo seleccionamos y, cuando aparece rodeado por los Controladores de Tamaño, arrastramos el *Mouse* hasta la nueva posición.

3.3. ¿Cómo seleccionamos un gráfico?

Para seleccionar un gráfico hacemos un clic arriba del mismo. Cuando el gráfico está seleccionado aparece rodeado de los cuadraditos negros denominados Controladores de Tamaño.

Edición 2

3.4. ¿Cómo seleccionamos texto en Word ?

Existen varios modos de seleccionar texto en *Word*. A continuación se desarrolla cada uno de estos métodos.

3.4.1. Seleccionar texto barriendo con el Mouse.

Este método es útil para seleccionar caracteres, palabras, frases, etc. Es un modo de selección preciso pero poco práctico y que requiere de buen pulso. A medida que incursionamos en *Word* lo reemplazamos por otros métodos más directos.

Para seleccionar barriendo con el *Mouse* procedemos así:

- Ubicamos el puntero delante del texto a seleccionar.
- Verificamos que el puntero tenga forma de Doble T.
- Pulsamos el botón izquierdo del *Mouse* y lo mantenemos pulsado.
- Arrastramos el puntero sobre el texto que queremos seleccionar.
- Verificamos que el texto aparece resaltado.
- Soltamos el botón del *Mouse*.

Si utilizamos mucho el *Mouse* para seleccionar puede resultarnos útil saber que:

- Para seleccionar una palabra hay que hacer doble clic sobre la palabra a seleccionar.
- Para seleccionar la pantalla completa hay que ubicar el cursor al comienzo de la pantalla, presionar *SHIFT* (MAYUSCULA), y hacer un clic, luego hacer otro clic al final de la pantalla.

3.4.2. Seleccionar texto utilizando la Barra de Selección

Este es el método más práctico y más aconsejado de selección. Se utiliza mucho para seleccionar porciones grandes de texto, líneas, párrafos, etc.
Antes de utilizar este método es conveniente saber que:

- Existe una Barra de Selección sobre la izquierda de la pantalla, que no puede verse, pero sabemos que estamos dentro de ella cuando el puntero pasa de doble T a flecha volcada a la derecha.
- Haciendo un clic con el botón izquierdo del *Mouse* dentro de la Barra de Selección seleccionamos una línea.
- Haciendo doble clic dentro de la Barra de Selección seleccionamos un párrafo.
- Haciendo triple clic dentro de la Barra de Selección seleccionamos todo el documento.
- Pulsando el botón izquierdo del *Mouse* y arrastrándolo hacia abajo seleccionamos varios párrafos juntos.

Para seleccionar texto utilizando este método:

♦ Ubicamos el puntero dentro de la Barra de Selección, delante del texto a seleccionar
♦ Verificamos que el puntero toma forma de flecha volcada a la derecha.
♦ Pulsamos el botón izquierdo del *Mouse* una vez, dos veces, tres veces o lo mantenemos pulsado y barremos hacia abajo, según si queremos seleccionar una línea, un párrafo, todo el documento o varios párrafos juntos.
♦ Soltamos el botón del *Mouse* cuando todo el texto quede resaltado.

3.4.3. Seleccionar texto utilizando Atajos de teclado

Este método es más rápido que los anteriores, pero sólo resulta útil si memorizamos las combinaciones de teclas para cada selección. A continuación se muestra una tabla con los principales atajos de teclado para seleccionar texto:

TEXTO A SELECCIONAR	ATAJOS DE TECLADO
Carácter o caracteres	SHIFT(MAYUSCULA)+Flecha Izquierda (◄) o Derecha (➤)
Palabra	CTRL+SHIFT+Flecha Izquierda (◄) o Derecha (➤)
Línea	Con el punto de inserción al comienzo de la línea mantener presionado SHIFT(MAYUSCULA) y luego pulsar END (FIN). Si queremos seleccionar del fin de la línea al comienzo, hay que ubicar el cursor al final de la línea y pulsar SHIFT+HOME.
Párrafo	CTRL+SHIFT+Flecha Ascendente (▲) o Descendente (▼)
Varios párrafos	CTRL+SHIFT+Flecha Asc. o Desc. y seguir presionando hasta llegar al último párrafo deseado.
Toda la pantalla	SHIFT+PAGE-DOWN(PAGINA ABAJO) o PAGE-UP (PAGINA ARRIBA), si el cursor está ubicado al comienzo o al final de la pantalla.
Todo el documento	CTRL+E
Hasta el comienzo del documento	SHIFT+HOME
Hasta el final del Documento.	SHIFT+END

4. BORRAR TEXTO

Existen distintos métodos de borrar texto en *Word*, a continuación se explica cada uno de ellos:

4.1. Borrar texto utilizando las teclas DEL(SUPRIMIR) y BACKSPACE (RETROCESO)

Es el modo utilizado cuando recién empezamos, sin embargo lo dejamos de lado a medida que incorporamos otros métodos.

BACKSPACE:	Borra caracteres a la izquierda del cursor.
DEL:	Borra caracteres a la derecha del cursor

4.2. Borrar texto o gráficos seleccionándolos y luego presionando DEL.

Es un método práctico y rápido que consiste en seleccionar el texto o el gráfico a borrar y luego presiona *DEL*.

4.3. Borrar texto utilizando Atajos de Teclado.

El Atajo de Teclado más utilizado para borrar texto es aquel que nos permite eliminar palabras.

Para utilizar este atajo de teclado hay que:

♦ Ubicar el cursor al comienzo de la palabra.
♦ Mantener presionada CTRL.
♦ Presionar *DEL*.

Si el cursor estuviese al final de la palabra, hacer lo mismo pero pulsar *BACKSPACE* en lugar de *DEL*.

5. ANULAR ACCIONES

En *Word* es muy fácil tomar desiciones equivocadas pero por suerte también es fácil volver atrás y anular una acción que no fue la adecuada. Esto se hace haciendo un clic en el botón **Deshacer,** de la Barra de Herramientas **Estándar,** que muestra la **Figura 10**.

Figura 10. *Botón deshacer.*

5.1. ¿Podemos anular varias acciones que ya fueron ejecutadas?

Sí podemos hacerlo. El procedimiento en ese caso es el siguiente:

♦ Pulsar la flecha descendente del botón **Deshacer** que se mostró anteriormente.
♦ Verificar que aparece una lista con las acciones realizadas hasta el momento. Al comienzo de la lista figuran las acciones más recientes y al final las más antiguas.
♦ Ubicar el puntero sobre la acción más antigua del grupo de acciones que queremos borrar. La acción más antigua de un grupo estará ubicada al final del grupo.
♦ Hacer un clic con el botón izquierdo del *Mouse*.
♦ Todas las acciones que se realizaron posteriormente a la seleccionada desaparecerán de la lista, se anularán, y el documento volverá al estado en el que se encontraba antes de que se le aplicaran todas esas acciones.

El siguiente ejemplo puede ayudar a entender lo anterior: Supongamos que ejecutamos el siguientes grupo de acciones:

1) Subrayado de título.
2) Negrita sobre el título.
3) Cambio de letra de todo el documento.

Al pulsar la flecha descendente del botón **Deshacer** vemos la siguiente lista:

Fuente
Negrita
Subrayado

En este caso no podemos deshacer el subrayado de título sin deshacer las negritas y el cambio de letra, dado que estas dos acciones fueron posteriores al subrayado. Pulsando sobre ¨Subrayado¨ eliminamos el subrayado del título, así como también las negritas y el cambio de fuente. El documento volverá al tipo de letra original.

6. MOVER TEXTO DENTRO DE UN DOCUMENTO

6.1. ¿Cómo movemos texto de un lugar a otro dentro del documento?

Existen dos métodos para mover texto de un lugar a otro del documento. A continuación se explica cada uno de ellos:

6.1.1. Mover Texto Arrastrándolo con el Mouse (Drag and Drop)

Para utilizar *Drag and Drop* hay que seguir las siguiente instrucciones:

- ◆ Seleccionar el texto que queremos arrastrar.
- ◆ Verificar que aparece resaltado.
- ◆ Soltar el botón izquierdo del *Mouse*.
- ◆ Volver a ubicar el puntero arriba del texto resaltado.
- ◆ Pulsar el botón izquierdo del *Mouse* y mantenerlo pulsado.
- ◆ Cuando el puntero toma forma de rectángulo y flecha, como muestra la **Figura 11**, arrastrar el *Mouse* hasta el lugar donde se quiere depositar el texto y soltar el botón izquierdo.

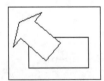

Figura 11. *Forma que toma el puntero al arrastrar texto.*

A medida que movemos el *Mouse* aparece una línea de puntos indicándonos el lugar de destino.

6.1.2. Mover Texto Cortando y Pegando

Mover texto cortando y pegando requiere de los siguientes pasos:

◆ Seleccionar el texto que queremos mover de lugar.
◆ Verificar que aparece resaltado.
◆ Pulsar simultáneamente las teclas CTRL+X, o bien elegir **Edición** y luego **Cortar.**
◆ Verificar que el texto desapareció.
◆ Ubicar el cursor en el lugar de destino (donde queremos pegarlo).
◆ Pulsar simultáneamente las teclas CTRL+V, o bien hacer un clic en **Edición** y luego elegir **Pegar.**
◆ Verificar que el texto aparece en ese lugar.
◆ También podemos cortar y pegar utilizando los botones de la Barra de Herramientas **Estándar,** que muestra la **Figura 12.**

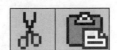

Figura 12. *Botón Cortar y Botón Pegar.*

6.2. ¿Cómo copiamos texto dentro de un documento?

En este caso el texto aparecerá en el lugar de origen y en el lugar de destino. Existen varios modos de copiar y pegar texto. A continuación analizaremos cada uno de ellos:

6.2.1. Copiar Texto arrastrando y depositando.

El procedimiento en este caso es el siguiente:

◆ Seleccionamos el texto a copiar.
◆ Verificamos que el mismo aparece resaltado.
◆ Soltamos el botón y volvemos a ubicar el puntero arriba del texto seleccionado.
◆ Pulsamos el botón izquierdo del *Mouse* y simultáneamente presionamos la tecla CTRL.
◆ Cuando el puntero se transforma en una flecha con un rectángulo y una cruz en el interior, arrastramos el *Mouse* hasta el lugar adonde queremos copiar el texto.
◆ Soltamos el botón del *Mouse* y la tecla CTRL, y verificamos que una copia del texto aparece en el lugar de destino.

*6.2.2. Copiar Texto utilizando los comandos **Copiar** y **Pegar**.*

Este método consiste en:

- Seleccionar el texto que queremos copiar.
- Verificar que el mismo aparece resaltado.
- Pulsar CTRL+C o bien elegir **Edición** y luego **Copiar.**
- Ubicar el cursor adonde queremos copiar el texto.
- Pulsar CTRL+V, o bien elegir **Edición** y luego **Pegar**.
- Verificar que el texto aparece duplicado, en el lugar de origen y en el lugar de destino.

También podemos copiar y pegar texto utilizando los botones de la Barra de Herramientas **Estándar,** que se muestran en la **Figura 13**.

Figura 13. Botones Copiar y Pegar.

6.3. ¿Adónde va la información que cortamos o copiamos?

La información que cortamos o copiamos va al Portapapeles (*Clipboard*), que es un lugar de almacenamiento temporario que guarda la información copiada o cortada por cualquier aplicación que funcione bajo *Windows* hasta que sea reemplazada por otra también copiada o cortada. Si necesitamos pegar una misma información en varios lugares debemos copiarla UNA SOLA VEZ y luego pegarla tantas veces como sea necesario.

6.4. ¿Cómo copiamos texto entre dos documentos de Word?

Para transferir información de un documento a otro hay que seguir el siguiente listado de instrucciones:

- Verificar que ambos documentos están abiertos.
- Copiar o cortar el texto a transferir.
- Pasar al documento adonde vamos a pegar la información. Esto se hace pulsando las teclas CTRL+F6, o desde el menú **Ventana**.
- Verificar que estamos en el documento destino leyendo el nombre del mismo en la Barra de Título.
- Ubicar el cursor adonde se pegará la información.
- Pegar el texto utilizando cualquiera de los métodos explicados anteriormente.

6.5. ¿Cómo copiamos texto de una aplicación a otra?

Supongamos que queremos copiar una porción de texto de *Word* a *Excel*. Para realizar esta operación hay que proceder así:

♦ Abrir ambas aplicaciones .
♦ En cada una de ellas abrir los documentos que intervendrán en la transferencia.
♦ Copiar o cortar el texto del documento de origen utilizando cualquiera de los métodos vistos anteriormente.
♦ Pasar a la aplicación que recibirá la información. Esto se hace pulsando simultáneamente ALT+TAB.
♦ Verificar el pasaje leyendo el cambio de nombre en la Barra de Título.
♦ Ubicar el cursor en el lugar adonde se pegará la información .
♦ Pegar el texto utilizando cualquiera de los métodos vistos anteriormente.

7. PERSONALIZAR LA EDICIÓN

7.1. ¿Qué significa Personalizar la Edición y cómo se lleva a cabo la misma?

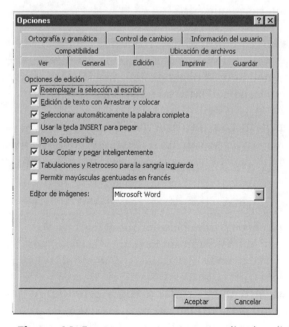

Figura 14. *En esta ventana se personaliza la edición.*

Personalizar la edición significa elegir los parámetros más adecuados para el tipo de edición con la que queremos trabajar. Para personalizar la edición procedemos así:

♦ En el menú **Herramientas** seleccionamos el comando **Opciones,** y en el Cuadro de Diálogo que aparece elegimos la ficha **Edición,** que se muestra en la **Figura 14**.

♦ Ingresamos los parámetros adecuados teniendo en cuenta los siguientes elementos del cuadro de Diálogo y sus funciones:

7.1.1. Casillero Reemplazar la Selección.

Permite reemplazar un texto sin necesidad de borrarlo. Si está habilitada esta función, al seleccionar un texto y escribir inmediatamente después de la selección, reemplazamos lo seleccionado por lo escrito sin necesidad de borrarlo. Habilitar este casillero puede generar accidentes, ya que si seleccionamos texto y luego pulsamos *ENTER, TAB, SHIFT* o cualquier otra tecla, la selección será automáticamente reemplazada por el carácter ingresado con esa tecla (un espacio en blanco en el caso de *ENTER, TAB* y *SHIFT*) y por lo tanto perderemos todo lo seleccionado.

7.1.2. Casillero Edición de texto con Arrastrar y Colocar

Habilitando esta función movemos y copiamos texto arrastrándolo con el *Mouse*. Es decir, desde este casillero se habilita el método *Drag and Drop*, explicado anteriormente.

7.1.3. Casillero Selección Automática de Palabras

Esta función permite que una selección también incluya los espacios adyacentes, de modo que al pegar esa información la misma se adapte al entorno y no se amontone con las palabras vecinas.

7.1.4. Casillero Usar la Tecla INSERT para Pegar

Esta función sólo se habilita si queremos utilizar la tecla *INSERT* para pegar el contenido del Portapapeles, y así evitar el uso de cualquier otra herramienta.

7.1.5. Casillero Modo sobreescritura

El modo **sobreescritura** permite que al ingresar texto, éste reemplace automáticamente al existente y no lo empuje hacia delante, como ocurriría normalmente. Habilitando este casillero el modo sobreescribir queda activado.

7.1.6. Casillero Usar, Copiar y Pegar inteligentemente

Esta función permite eliminar espacios sobrantes o añadir espacios necesarios al insertar texto en una oración. Al habilitar esta función el texto entrante o saliente no modificará el formato de la frase en la que entra o sale.

7.1.7. Casillero Usar tabulación y RETROCESO

Habilitando este casillero podemos agregar o eliminar la sangría izquierda presionando las teclas TAB y RETROCESO.

7.1.8. Casillero Permitir Mayúsculas Acentuadas
Habilitamos este casillero para poder tildar las mayúsculas.

8. CORREGIR ERRORES UTILIZANDO LA REVISIÓN AUTOMÁTICA DE ORTOGRAFÍA

La Revisión Automática de Ortografía es el proceso que tiene lugar mientras escribimos y por medio del cual *Word* compara palabra por palabra nuestro documento con la información existente en un diccionario interno, a fin de evaluar si existen errores de ortografía y/o gramática. Cuando está habilitada la función **Revisar Ortografía mientras escribe**, y deshabilitada la función **Ocultar errores de ortografía en este documento,** ambas presentes en la ficha **Ortografía y Gramática,** del cuadro de Diálogo **Opciones** menú **Herramientas**, los errores gramaticales aparecen subrayados con verde y los de ortografía con rojo.

Si ubicamos el puntero sobre el error y pulsamos el botón derecho del *Mouse*, aparece un menú contextual como el que muestra la *Figura 15,* con una lista de posibles correcciones para el error detectado.

Figura 15. *Corrección Automática de Ortografía.*

Seleccionando cualquiera de estas opciones y pulsando *ENTER* realizamos el reemplazo.

También podemos realizar la Revisión Automática de Ortografía al terminar de escribir. En este caso procedemos del siguiente modo:

♦ Ubicamos el cursor en alguna parte del documento.
♦ En el menú **Herramientas** elegimos la opción **Ortografía y Gramática,** o bien pulsamos el botón **Ortografía y Gramática** que se encuentra en la Barra de Herramientas **Estándar,** y que muestra la **Figura 16.**

Figura 16. *Botón Ortografía y Gramática.*

En el cuadro de Diálogo **Ortografía,** que se muestra en la **Figura 17,** aceptamos o ignoramos los cambios teniendo en cuenta la función de los casilleros y botones que se muestran a continuación:

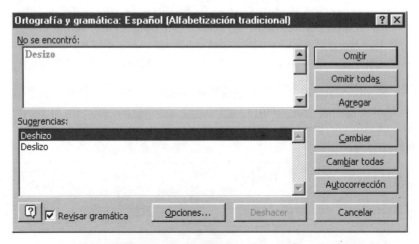

Figura 17. *Cuadro de Diálogo Ortografía y Gramática.*

8.1. Casillero ¨ No se encontró...¨/Error Gramatical

Aquí aparecen, uno por uno, los errores ortográficos o gramaticales.

8.2. Casillero Sugerencia

Aquí aparecerán las sugerencias de *Word* para corregir los errores anteriores.

8.3. Botones Cambiar o Cambiar Todo

Pulsando alguno de estos dos botones corregimos el error ortográfico con la palabra sugerida. Al ejecutar **Cambiar Todo,** realizamos el cambio en todas las ocurrencias similares a lo largo del documento.

8.4. Botón Siguiente Frase

Permite pasar al siguiente error gramatical.

8.5. Botón Omitir/Omitir Todo

Sólo lo usamos si queremos dejar como válida la palabra escrita en nuestro documento e ignorar la sustitución sugerida. Esto se hace cuando *Word* no reconoce una palabra, pero la misma está bien escrita.

8.7. Botón Agregar

Permite incorporar la palabra resaltada en el casillero **No se encontró...** al Diccionario Personalizado (Ver Diccionario Personalizado en el capítulo Herramientas de *Word*).

8.8. Botón Cancelar

Permite rechazar todos los cambios realizados y detener la Revisión Ortográfica Automática.

8.9. Botón Deshacer

Permite anular la última corrección, si es que estuvo mal hecha. Es decir, deshace el último reemplazo.

8.10. Botón Autocorrección

Permite incorporar la palabra desconocida por *Word*, y que aparece en el casillero **No se encontró...,** a la función **Autocorrección** que se explicará en el capítulo Herramientas de *Word*. En dicho capítulo nos extenderemos sobre la Revisión Automática de Ortografía, analizaremos los distintos tipos de diccionarios utilizados, veremos cómo crear un diccionario de términos técnicos, cómo corregir en un idioma diferente del Español, etc.

9. DIVIDIR PALABRAS CON GUIONES

Dividir palabras con guiones no es otra cosa que separar en sílabas las palabras que no entran en el renglón, para poder pasar una parte al otro renglón. *Word* puede o no separar texto en sílabas, lo normal es que no lo haga y que pase toda la palabra que no entra a la línea siguiente. Esto es así porque en Inglés no es válida la separación de palabras. La separación en sílabas es útil para generar presentaciones estéticamente superiores, ya que los márgenes derechos se ven menos recortados.

9.1. ¿Cómo se lleva a cabo la separación en sílabas?

La separación en sílabas se lleva a cabo en forma automática o bajo nuestra supervisión.

En el primer caso, las palabras se cortarán según la información contenida en el diccionario de *Word*. En el segundo, el usuario decidirá el lugar del corte.

Sobre el margen derecho de la hoja existe un área virtual que se denomina **Zona de división**. Si las palabras que alcanzan el margen derecho entran por completo dentro del área se escriben en el renglón siguiente. Si, por el contrario, sobrepasan la **Zona de división**, se escriben en ese renglón. El ancho de la Zona de división puede modificarse. Cuanto menor es, mayor cantidad de palabras sobrepasarán la zona y por lo tanto quedarán en ese renglón dando un aspecto menos recortado a los bordes. En el caso de que habilitemos la separación en sílabas, las palabras que se separarán con guiones serán aquellas que caigan por entero en la Zona de división.

9.2. ¿Cómo habilitamos la separación en sílabas?

El procedimiento para habilitar la separación en sílabas es el siguiente:

♦ Seleccionar la porción del escrito sobre la cual queremos aplicar el cambio.
♦ En el menú HERRAMIENTAS elegir GUIONES.
♦ Verificar que aparece el Cuadro de Diálogo de la **Figura 18**.

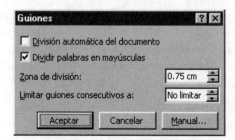

Figura 18. *Aquí se configura la zona de división.*

◆ Habilitar la opción **División Automática del documento,** para que la división tenga lugar automáticamente.

◆ Ingresar o seleccionar un valor adecuado para la **Zona de división.**

◆ Pulsar el botón **Aceptar.**

◆ En el casillero **Limitar guiones consecutivos a**, seleccionar un número que establecerá la cantidad máxima de líneas consecutivas con guiones.

◆ Para supervisar personalmente la división de palabras, pulsar el botón **Manual,** y en el Cuadro de Diálogo que se muestra en la **Figura 19**, aceptar o rechazar la separación sugerida para cada una de las palabras.

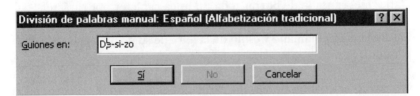

Figura 19. División manual de palabras.

PROBLEMAS

1. Claudia quiere seleccionar un párrafo de su documento. Ubica el puntero en el centro del párrafo, pulsa el botón izquierdo y arrastra el *Mouse* hasta el punto final. La primer parte queda sin seleccionar.

2. Héctor no tiene buen pulso, cuando arrastra el *Mouse* sobre una palabra para seleccionarla, la selección pasa al renglón de arriba o al de abajo pero nunca queda resaltado sólo lo que él necesita.

3. María está cansada de borrar toda un línea carácter por carácter.

4. Carlos cambió el tamaño y estilo de la letra de su documento y ahora está arrepentido.

5. Marta necesita confeccionar una carta y sabe que los dos primeros párrafos son iguales a los de otra carta que presentó dos días antes.Piensa que podría sacarlos de allí en vez de volver a escribirlos pero no sabe cómo hacerlo.

6. A Jorge le molesta que mientras escribe, las palabras aparezcan subrayadas en rojo o verde. En el *Word* que tenía antes eso no pasaba.

7. Darío quiere cambiar el tamaño de la letra que usó para su documento : Selecciona todo utilizando el CTRL+E y luego presiona *ENTER*. Para su sorpresa, el texto desaparece y la pantalla queda en blanco.

8. Roxana tiene con frecuencia el siguiente problema: Cuando quiere seleccionar texto lo arrastra con el *Mouse* accidentalmente y desordena el documento

9. Juan seleccionó una porción de texto y soltó el *Mouse*. Ahora quiere extender la selección a los párrafos siguientes pero sabe que si usa nuevamente el *Mouse* perderá la vieja selección.

SOLUCIONES

1. Para seleccionar todo el párrafo Claudia tiene que colocar el puntero al comienzo del mismo y no en la mitad. Recordemos que la selección por barrido tiene lugar desde la posición del puntero en adelante. Claudia también podría seleccionar texto utilizando la **Barra de Selección** ubicada a la izquierda de la pantalla. Cuando el puntero pasa a flecha volcada hacer doble clic con el botón izquierdo del *Mouse* a la altura del párrafo a seleccionar.

2. Héctor debería seleccionar palabras haciendo doble clic sobre ellas o utilizando el atajo de teclado CTRL+*SHIFT*+¨FLECHA DERECHA¨.

3. María puede ubicar el puntero al comienzo de la línea y pulsar simultáneamente *SHIFT+END*. Cuando todo el renglón aparece resaltado pulsar la tecla *DEL*.

4. Carlos puede volver atrás esas dos acciones seleccionándolas de la lista que se despliega cuando pulsamos la flecha descendente del botón **Deshacer** de la barra de herramientas **Estándar**.

5. Marta tiene que hacer lo siguiente:
   ♦ Abrir la carta anterior.
   ♦ Seleccionar los dos primeros párrafos.
   ♦ Pulsar simultáneamente las teclas CTRL+C, o bien pulsar una vez sobre el botón **Copiar** de la barra de herramientas **Estándar**.
   ♦ Cerrar la carta haciendo un clic en la cruz (derecha arriba).
   ♦ Iniciar un documento nuevo eligiendo **Archivo** y luego **Nuevo** y luego seleccionar la opción **Documento en Blanco**.
   ♦ Ubicar el cursor al comienzo de la hoja.
   ♦ Pulsar simultáneamente las teclas CTRL+V, o bien hacer un clic en el botón **Pegar,** de la Barra de Herramientas **Estándar**.
   ♦ Verificar que el texto aparece copiado en el documento nuevo.

6. Las palabras subrayadas con verde indican errores gramaticales y las subrayadas con rojo errores de ortografía. Si Jorge ubica el puntero sobre el error y pulsa el botón derecho del *Mouse, Word* le ayudará a corregirlo. Si no queremos ver los errores mientras escribimos, podemos deshabilitar la función **Revisar Ortografía mientras escribe**, o bien habilitar la función **Ocultar errores de ortografía en este documento**, ambas presentes en la ficha **Ortografía y Gramática** del cuadro de diálogo que aparece cuando ejecutamos los comandos **Herramientas/Opciones**.

7. Darío borró accidentalmente toda la información al seleccionar el texto y pulsar *ENTER*. Esto también ocurre si presionamos TAB o cualquier otra tecla cuando el texto está seleccionado.En estos casos lo que conviene hacer es un clic en el botón **Deshacer,** de la barra **Estándar**. El texto recuperado aparecerá inmediatamente en pantalla.

8. Lo que le pasa a Roxana es que luego de completada la selección vuelve a pulsar el botón izquierdo sobre lo seleccionado y mueve el *Mouse*. Al hacer ésto, el puntero cambia a rectángulo con flecha, y el texto resaltado es arrastrado hasta la nueva posición del puntero. Para evitar que pase ésto, Roxana tiene que tomar la precaución de, una vez completada la selección, no volver a pulsar el botón izquierdo del *Mouse* sobre el texto resaltado.

9. Lo que Juan puede hacer es pulsar F8, que es la tecla que habilita el modo Extendido de Selección. Una vez habilitado este modo, podrá seguir seleccionando con las flechas del teclado sin perder la selección original.

ARCHIVOS

3

Tiempo de lectura y práctica:
1 hora y 30 minutos

Objetivo de la lección

■ Generar, abrir, guardar e imprimir archivos.
■ Intercambiar archivos con otras aplicaciones.
■ Incorporar vocabulario relacionado con el manejo de archivos.
■ Transferir archivos de una carpeta a otra.
■ Solucionar problemas de guardado e impresión.
■ Importar archivos.

1. INTRODUCCIÓN

1.1. ¿Qué es un archivo?

Un archivo es un lugar donde se guarda información generada por una computadora.

Los archivos se guardan en cualquiera de las unidades de almacenamiento que posee la computadora. Los siguientes son ejemplos de unidades de almacenamiento:

♦ **Disco rígido**: Generalmente representada por las letras¨ **c:** \¨ y ¨**d:** \¨.
♦ **Disquetera 3 $1/_2$ y sus respectivos disquetes**: Generalmente representada por la letra ¨ **a:** \¨
♦ **Disquetera 5 $1/_4$ y sus respectivos disquetes**: Generalmente representada por la letra ¨ **b:** \¨ , y ahora en desuso.
♦ **Lectora de discos ZIP**: Generalmente representada por las letras ¨**e:** \¨, ¨**f:** \¨, etc. La letra elegida depende de las otras unidades de almacenamiento presentes en la computadora.
♦ **Lectora de CD**: Generalmente representada por las letras ¨**e:** \¨, ¨**f:**\¨, **g:**\¨ Etc. La letra elegida depende de las otras unidades de almacenamiento existentes en la computadora.

1.2. ¿Cómo está compuesto el nombre de un archivo?

El nombre de un archivo está compuesto por:

♦ Una Parte Principal
♦ Una Extensión

1.2.1. Parte Principal del nombre de un archivo

La parte principal la elige el usuario y puede tener hasta 255 caracteres incluyendo espacios. Es conveniente elegir nombres representativos del contenido del archivo. A su vez, dicha parte puede estar dividida en dos. En estos casos, el separador más usado es el guión. Por ejemplo, nombrar un archivo como "Clase-1", está permitido, no así el nombre "Clase/1".

La parte principal del nombre de un archivo no puede contener ninguno de los siguientes caracteres:

Barra común	(/)
Barra inversa	(\)
Signo mayor que	(>)
Signo menor que	(<)
Asterisco	(*)
Interrogación	(?)
Comillas	(")
Barra vertical	(I)
Dos puntos	(:)
Punto y coma	(;)
Punto	(.)

1.2.2. La Extensión

La Extensión son los tres últimos caracteres que aparecen después del punto y después del nombre principal. La Extensión indica el formato de un archivo, es decir de qué tipo de archivo se trata y en qué aplicación fue creado. La extensión "doc" indica que el archivo fue creado en *Word*, mientras que la extensión "txt" es típica de los documentos sólo texto, y que por lo tanto pueden abrirse en cualquier procesador de texto.

En *Windows* 95/98 el formato de un archivo aparece como un símbolo que precede al nombre del mismo.

1.3. ¿Cuáles son los formatos de archivo más frecuentes?

Eso depende del entorno y del Sistema Operativo en el que trabajemos. A continuación se muestra una tabla con los formatos de archivos más frecuentes para el entorno *Windows*. En la columna izquierda aparece la extensión mientras que en la columna del medio la aplicación a la que corresponde dicho formato y en la última columna el símbolo con que *Windows* 95/98 representa a ese tipo de archivos:

EXTENSIÓN	FORMATO AL QUE CORRESPONDE DICHA EXTENSIÓN	SÍMBOLO CON QUE SE REPRESENTA EN WINDOWS.
DOC	Documentos de Word.	
DOT	Plantillas creadas por Word.	
TXT	Contienen sólo texto.	
WMF	Contienen imágenes prediseñadas contenidas en el Clipart.	
XLS	Contienen planillas de cálculo creadas en Excel.	
XLC	Contienen gráficos creados en Excel.	
TIFF	Contienen imágenes de alta definición.	
BMP	Contienen imágenes de tipo Bitmap (Mapa de bits).	
WAV	Son archivos que guardan sonidos.	
HTML	Contienen páginas de Internet. Se acceden utilizando un navegador de Internet.	
IPG	Contienen imágenes comprimidas.	
HLP	Ejecutables. Contienen ayuda.	
DLL	Contienen una librería de información, soporte de algún programa.	
FON, TTF	Contienen tipografía.	
TEMP	Archivo temporario creado por una aplicación.	
COM y EXE	Archivos de instrucciones. Son ejecutados por DOS para el manejo de Hardware.	
SYS	Archivos de sistema. Pueden ser leídos por DOS. Contienen información sobre el hardware de la computadora.	
BAT	Contienen una batería de instrucciones para ser ejecutadas por DOS	

3

Archivos

1.4. ¿Cuál es la extensión de los documentos creados en Word?

La extensión predeterminada para los documentos creados en *Word* es "doc". Esto significa que cuando guardamos un documento sólo tenemos que ingresar la parte principal del nombre, ya que *Word* agrega automáticamente la extensión "doc" después del punto. Sin embargo, también podemos pedirle a *Word* que lo guarde con un formato distinto. Esto generalmente se hace en los siguientes casos:

1.4.1. El documento va a ser abierto por un procesador de texto distinto de Word o por un editor de texto.

En este caso conviene seleccionar el formato "Sólo texto (*.TXT)" al momento de guardar el documento. Los archivos "Sólo texto" están escritos con un lenguaje universal que se conoce como ASCII (*American Standard Code for International Interchange*) y que puede ser interpretado por aplicaciones no compatibles con *Word*, o que directamente no funcionen bajo entorno *Windows*.

1.4.2. El documento va a ser abierto por una versión de Word anterior a la que se utilizó para escribirlo.

En este caso conviene guardarlo con el formato correspondiente a la versión de *Word* con la que será abierto. Las posibilidades son "Documento *Word* 6.0/*Word* 95". Al intercambiar documentos de *Word* 97 con las versiones 6.0 y 7.0 se perderán entre otros los siguientes elementos:

◆ Las viñetas Multinivel.
◆ El texto Animado.
◆ Los Hipervínculos.

1.5. ¿Podemos abrir en Word documentos creados en otra aplicación?

Para abrir un archivo creado con otra aplicación hay que contar con el Filtro y/o el Convertidor adecuado. Un filtro y un convertidor son programas que compatibilizan archivos de modo que puedan ser abiertos en una aplicación, habiendo sido creados en otra. Al final de este capítulo se muestra una tabla con los filtros y convertidores que permiten intercambiar archivos entre *Word* y otras aplicaciones de *Windows* y de DOS.

2. CREAR UN DOCUMENTO NUEVO

Crear un documento nuevo es el primer paso para generar un archivo.

Cuando ingresamos a *Word*, aparece en pantalla un área en blanco que no es otra cosa que una página en donde empezar a escribir. Ese será nuestro primer documento, *Word* lo llamará Documento 1 pero nosotros, al momento de guardarlo, reemplazaremos ese nombre por otro menos genérico y más representativo del contenido del archivo.

2.1. ¿Cómo procedemos si queremos crear un segundo documento?

Este es el caso en el que terminamos un primer documento y queremos generar otro sin salir de *Word*. Para iniciar un segundo documento hay que hacer un clic en el botón **Nuevo** de la Barra de Herramientas **Estándar** que se muestra en la **Figura 19**.

Figura 19. *Haciendo un clic en este botón obtenemos una hoja en blanco*

Si el documento nuevo es un fax, un currículum, un memorándum, etc. en lugar de pedir una página en blanco desde el botón **Nuevo** como se indicó antes, podemos pedirle a *Word* un modelo predeterminado para llenar. Estos modelos predeterminados son formularios en los que ya están escritos los encabezamientos y otros datos generales y nosotros sólo tengamos que ingresar los datos personales.

Para pedir un formulario procedemos así:

◆ En el menú **Archivo** elegimos **Nuevo**, o bien presionamos simultáneamente las teclas CTRL+U.

◆ En el Cuadro de Diálogo Plantilla que se muestra en la **Figura 20** elegimos alguna de las siguientes fichas:
  ◆ Cartas y Faxes.
  ◆ Memorándum.
  ◆ Informes.

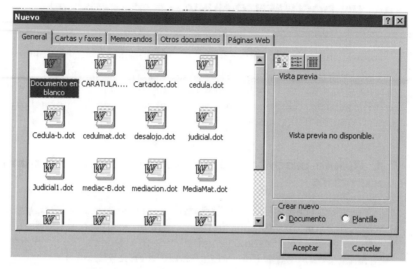

Figura 20. *En esta ventana elegimos las plantillas.*

♦ En el Cuadro de Diálogo anterior elegimos alguno de los formularios que aparecen allí, por ejemplo **Fax Elegante** y pulsamos el botón **Aceptar**.

Para llenar el formulario hay que ubicar el cursor en cada uno de los campos donde figura la leyenda • Haga clic aquí • y hacer un clic con el botón izquierdo del *Mouse,* o bien presionar la tecla TAB. Cuando el campo se vuelve gris ingresar el o los datos solicitados en ese campo.

2.2. ¿Podemos crear nuestros propios modelos de documentos?

Sí podemos hacerlo, aunque esto sólo se justifica si trabajamos seguido con documentos en los que se repiten ciertos elementos. A estos modelos de documentos se los conoce como ¨Plantillas¨. Contar con una plantilla que contenga elementos de rutina evitará que ingresemos una y otra vez los mismos datos. Un ejemplo de ésto es cuando creamos una plantilla con el nombre de nuestra empresa, la dirección, los teléfonos, etc. La próxima vez que necesitemos crear un documento con estos datos, abrimos nuestro modelo y no una página en blanco, como lo haríamos normalmente.

Para crear una plantilla o modelo de Documento procedemos así:

♦ En el menú **Archivo** elegimos **Nuevo**.
♦ En el Cuadro de Diálogo Nuevo que se muestra en la **Figura 21** elegimos la ficha **General** y habilitamos el casillero **Plantilla** localizado abajo a la derecha.

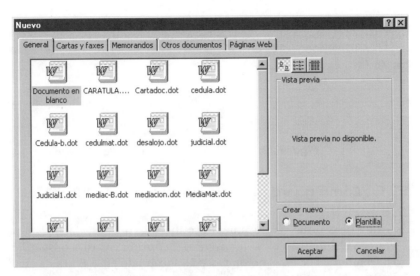

Figura 21. *Para crear una plantilla, habilitar el casillero Plantilla ubicado abajo a la derecha.*

Al pulsar **Aceptar**, *Word* nos muestra una página en blanco en donde ingresar todos los elementos deseados, como por ejemplo el nombre de la empresa, dirección, teléfono, etc. Una vez completados todos los ingresos, guardamos el archivo como si se tratara de cualquier documento (Ver más adelante), pero tomando la precaución de no modificar ni la ruta de acceso ni la extensión ¨dot¨ propuesta por *Word,* dado que esta configuración es la que permite que la nueva plantilla se guarde junto con el resto de las plantillas y pueda ser accedida al momento de generar un documento nuevo. A partir de ese momento, la plantilla nueva aparecerá en **Nuevo** (ficha **General)** del menú **Archivo** y podremos elegirla como cualquier de las predeterminadas.

3. GUARDAR UN DOCUMENTO

Guardar un documento significa grabarlo en alguno de los dispositivos de almacenamiento vistos anteriormente. Una vez archivado podemos abrirlo, modificarlos e imprimirlo cuantas veces sea necesario.

Los archivos generalmente se guardan dentro de carpetas, que son lugares específicos dentro de las Unidades de Almacenamiento. Si comparamos un disco rígido con un ropero, una carpeta sería un cajón dentro de ese ropero, y una subcarpeta sería una caja dentro de ese cajón. Generalmente guardamos en una misma carpeta aquellos archivos que tienen algo en común o que están relacionados entre sí. Un ejemplo de ésto son los documentos personales que generalmente se guardan agrupados en una carpeta que podríamos denominar ¨Personal", o los archivos de trabajo que podemos agrupar en la carpeta "Trabajo".

Las carpetas están siempre precedidas del símbolo que se muestra en la **Figura 22**.

Figura 22. *Símbolo que identifica a las carpetas.*

3.1. ¿Cómo guardamos un documento en Word?

Antes de guardar un documento verificamos que esté activo en pantalla. Luego elegimos en el Menú Archivos la opción Guardar o Guardar Como, o hacemos un clic en el botón Guardar localizado en la Barra de Herramientas Estándar y que se muestra en la **Figura 23**:

Figura 23. *Barra de Herramientas Estándar*

A continuación seguimos las siguientes instrucciones:

3.1.1. Ingresamos el Nombre del archivo

Esto se hace en el Cuadro de Diálogo Guardar de la **Figura 24**. Los pasos a seguir son los siguientes:

◆ Identificamos el casillero **Nombre del Archivo** que generalmente aparece resaltado y con un nombre escrito adentro.

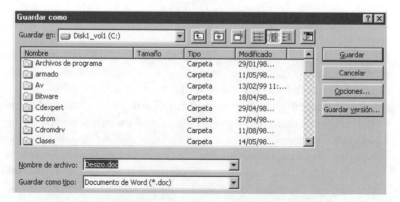

Figura 24. *Cuadro de Diálogo Guardar*

El nombre que aparece escrito en este casillero es el sugerido por *Word* para guardar el archivo y no es otra cosa que las primeras palabras del documento. Para reemplazarlo, escribimos el nuevo nombre cuando el texto todavía está resaltado. También podemos hacer un clic dentro del casillero, borrar el nombre que puso *Word* y luego escribir el nombre que queremos darle, teniendo en cuenta las limitaciones mencionadas para nombrar archivos.

3.1.2. Ingresar la Ruta de Acceso

Una vez ingresado el nombre del documento, hay que determinar la Unidad de Almacenamiento en la que vamos a guardarlo y, en caso de que sea necesario, adentro de qué carpetas. A la acción de determinar la Unidad de Almacenamiento o Unidad de Disco y la Carpeta en las que se guardará un documento se la denomina "Establecer la Ruta de Acceso del archivo". La Ruta de Acceso de un archivo se establece desde el casillero Guardar en, del Cuadro de Diálogo anterior que tiene el aspecto de la **Figura 25**.

Figura 25. *En este casillero se establece la ruta de acceso del archivo.*

En el casillero **Guardar en** están "escondidas" todas las unidades de almacenamiento y carpetas en donde podemos guardar un documento. En este casillero elegimos, por ejemplo, "Disco c: \" para guardar el documento en el disco rígido, o "Disco $3_{1/2}$ a: \" para guardarlo en la disquetera. Para que aparezca la lista con las Unidades de Almacenamiento posibles y sus respectivas carpetas hay que hacer un clic sobre la flecha descendente que está en el extremo derecho del casillero. Cuando se despliega la lista hacemos un clic arriba de la Unidad de Disco a elegir (por ejemplo arriba de "Disco c: \") como se muestra en la **Figura 26**.

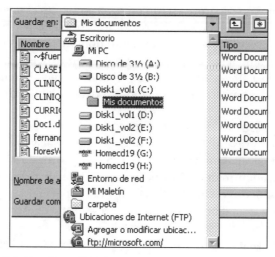

Figura 26. *Un clic arriba de ¨Disco C: \ manda el archivo al disco rígido.*

Una vez seleccionada la Unidad de Disco, ésta se escribe automáticamente en el casillero Guardar en y debajo aparecen todas las carpetas que existen en esa Unidad de Disco. En la **Figura 24** vemos que la Unidad de Disco ¨c: \¨ contiene, entre otras, las carpetas ¨AV¨, ¨CDexpert¨ y ¨Armado¨.

Para guardar el documento dentro de alguna de estas carpetas hay que hacer doble clic sobre el símbolo de carpeta y verificar que el nombre de la carpeta elegida reemplaza al de la unidad de disco. En la Figura 24, si quisiéramos guardar el documento dentro de la carpeta ¨Armado¨, tendríamos que hacer doble clic en el símbolo de carpeta que precede a la palabra ¨Armado ¨y verificar el cambio de nombre en el casillero **Guardar en.**

Es importante que el doble clic sea sobre el símbolo de la carpeta y no sobre el nombre, porque en este último caso *Word* entiende que queremos renombrar la carpeta y no que queremos abrirla.

Para guardar el archivo adentro de una Subcarpeta hay que seguir el mismo criterio anterior, es decir, hacer doble clic sobre el símbolo de la subcarpeta y verificar el cambio de nombre en el casillero **Guardar en.**

3.1.3. Elegir la extensión o formato del archivo.

El casillero **Guardar como tipo** que se muestra en la **Figura 27** y que se encuentra en la parte inferior del Cuadro de Diálogo **Guardar** que vimos antes, permite modificar el fomato predeterminado (DOC) con el que se guardan todos los documentos *Word*.

Figura 27. *Casillero donde se modifica la extensión de un documento.*

Para modificar la extensión ¨doc¨ hacemos un clic sobre la flecha descendente de este casillero y, en la lista que aparece, elegimos el nuevo formato, por ejemplo **Sólo texto (*. txt)** o **Documento** *Word* **6.0/95**. Recordemos que esta modificación sólo se hace si el documento va a ser abierto por un sistema que no cuenta con *Word*97. Una vez determinado el nombre del documento, la ruta de Acceso y el formato, hacemos un clic en el botón **Guardar** para que el proceso de guardado tenga lugar. Cuando *Word* guarda un documento aparece, en la parte inferior de la pantalla, una serie de cuadraditos azules y el símbolo de un disquete. Además, durante el tiempo que dura la escritura, se enciende la luz de la unidad de almacenamiento en la que se está archivando.

Para verificar que el documento se guardó correctamente observamos el cambio de nombre en la barra de Título. El nombre puede cambiar, por ejemplo, de ¨Documento 1. doc¨ (nombre sugerido por *Word*) a ¨Trabajo.doc¨ (Nombre elegido por el usuario).

3.2. ¿Para qué sirven los botones del Cuadro de Diálogo Guardar?

A continuación se ilustran estos botones y se indican sus funciones.

3.2.1. Botón Crear Nueva Carpeta.

Figura 28. *Este botón permite crear una nueva carpeta.*

Permite generar nuevas carpetas en donde guardar nuestros documentos. Antes de crear una carpeta nueva hay que determinar la unidad de disco y, en los casos en que sea necesario, dentro de qué carpeta aparecerá esta nueva carpeta.

3.2.2. Botón Buscar en Favoritos.

Figura 29. *Botón que pemite acceder a la carpeta Mis Favoritos.*

Este botón permite acceder rápidamente a la carpeta **Mis Favoritos**. La carpeta **Mis Favoritos** contiene todos aquellos archivos y carpetas consultados con más frecuencia. En la carpeta **Mis Favoritos** existe una carpeta predeterminada por *Word* que se denomina **Mis Documentos**.

Para crear una carpeta y ubicarla dentro de **Mis Favoritos** seguimos los siguientes pasos:

♦ Hacemos un clic en el botón **Buscar en Favoritos**.

♦ Verificamos que el nombre **Favoritos** aparece escrito en el casillero **Guardar en.**

♦ Pulsamos el botón **Nueva Carpeta**.

♦ Ingresamos un nombre para la carpeta nueva, que esté relacionado con los documentos que se guardarán allí, por ejemplo Trabajos, Proyectos, etc.

3.2.3. Botón Subir un Nivel

Figura 30. *Para saltar rápidamente al nivel anterior.*

Este botón trabaja junto con el casillero **Guardar en.** Al pulsarlo abre la carpeta o unidad de disco que se encuentra un nivel más arriba en la lista de unidades de disco y carpetas. El botón **Subir Nivel** simplifica el desplazamiento a través de aquellas carpetas que se encuentran anidadas, es decir, una dentro de otra.

3.2.4. Botón Lista

Figura 31. *Este botón muestra varias columnas de carpetas o archivos.*

El botón **Lista** cambia el modo de ver la lista de archivos y carpetas. Cuando hacemos un clic sobre este botón, se muestran varias columnas con los nombres de las carpetas y los archivos guardados en la unidad de disco o carpeta seleccionada en el casillero **Guardar en**.

3.2.5. Botón Detalles

Figura 32. *Hacer un clic aquí para ver los datos de las carpetas o archivos.*

El botón **Detalles** muestra, a la izquierda, la lista de archivos y carpetas guardados en la unidad de disco o carpeta seleccionada, y a la derecha, los datos de estos archivos, por ejemplo el tamaño del archivo, el tipo o formato, la fecha de última modificación etc.

3.2.6. Botón Propiedades

Figura 33. *Elegir este botón para ver todas las propiedades de los archivos o carpetas.*

Este botón, al igual que el anterior, muestra a la izquierda de la ventana la lista de archivos y carpetas guardadas en la unidad de disco o carpeta seleccionada, y a la derecha, las propiedades del archivo seleccionado. Algunos ejemplos de propiedades son la cantidad de palabras del documento, el autor de dicho documento, la fecha de la última modificación etc.

3.2.7. Botón Comando y Configuración

Figura 34. *Desde aquí accedemos a los comandos para trabajar con archivos o carpetas.*

Este botón habilita una lista de comandos para trabajar con el documento seleccionado o para ver más detalles del mismo.

3.2.8. Botón Opciones

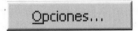

Figura 35. *Desde este botón personalizamos el proceso de guardado.*

El botón **Opciones** muestra el cuadro de Diálogo **Opciones**, desde donde personalizamos el modo de guardar documentos. Por ejemplo, desde **Opciones** habilitamos las funciones **Autoguardar Cada** y **Crear Siempre Copia de Seguridad,** que disminuyen el riesgo de perder accidentalmente un documento(Ver al final del capítulo).

3.3. ¿Cuál es la diferencia entre los comandos Guardar y Guardar Como?

Figura 36. *Para cambiar el nombre de un archivo elegir Guardar Como.*

El comando Guardar de la **Figura 36,** *el botón Guardar que se muestra en la* **Figura 37** y la combinación de teclas **CTRL+G** guardan un documento bajo el mismo nombre, la misma ruta de acceso y el mismo formato con que fue guardado la última vez. Esto significa que cuando nuestro documento ya tiene un nombre, una ruta de acceso y un formato determinado, podemos guardarlo utilizando cualquiera de las formas de este comando, sin necesidad de ingresar información adicional.

Figura 37. *Botón que se usa para guardar un archivo.*

El comando **Guardar Como** se utiliza para modificar el nombre, la ruta de acceso o el formato de un archivo guardado con anterioridad. Supongamos que abrimos un documento, realizamos alguna modificación, y queremos guardar las dos versiones del documento, la vieja sin los cambios y la nueva con los cambios. En este caso, luego de las modificaciones, elegimos el comando **Guardar como,** del menú **Archivo.** En el Cuadro de Diálogo que aparece escribimos un nombre distinto para el nuevo documento. En este caso quedarán guardados los dos archivos, cada uno con un nombre distinto.

A continuación se indican los pasos a seguir para utilizar otro modo de crear diferentes versiones de un mismo documento. A diferencia del anterior, en este modo las dos versiones se guardan en un mismo archivo pero la máquina distingue internamente una versión de otra y la muestra como si se tratara de dos documentos totalmente independientes:

♦ Abrir el documento original y realizar los cambios necesarios para crear la segunda versión.
♦ En el menú **Archivo** elegir **Versiones** y en el Cuadro de Diálogo **Versiones** que se muestra en la **Figura 38,** pulsar el botón **Guardar Ahora.** En la ventana que aparece ingresar un nombre y un comentario adecuado para la nueva versión y salir aceptando.

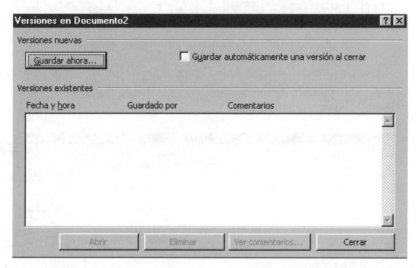

Figura 38. *Modo de guardar diferentes versiones de un mismo archivo.*

4. ABRIR DOCUMENTOS

Si el documento que queremos abrir es alguno de los últimos cuatro en los que estuvimos trabajando lo que hacemos es elegirlo de una lista de cuatro documentos que aparece al final del menú **Archivo**. Esta lista generalmente contiene sólo los cuatro últimos documentos que sufrieron cambios, sin embargo podemos ampliarla desde el menú **Herramientas /Opciones/General**. Allí existe un casillero denominado **Archivos Usados Recientemente** en donde podemos reemplazar el número cuatro por otro mayor. El cambio de configuración sólo tendrá lugar la próxima vez que ingresemos a *Word*.

Si el documento no fue uno de los últimos en los que trabajamos, para abrirlo, en el menú **Archivo** elegimos **Abrir** o bien hacemos un clic en el botón con forma de carpeta abierta que se muestra en la **Figura 39**.

Figura 39. *Hacer un clic en este botón para abrir un documento.*

En el Cuadro de Diálogo de la **Figura 40**, le decimos a *Word* en donde buscar el archivo, el nombre del mismo y el formato. A continuación se explica como proceder en cada caso.

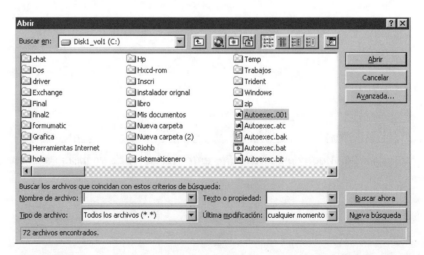

Figura 40. *Esta ventana se usa para decirle a Word dónde buscar un archivo.*

4.1. Indicar a Word dónde buscar el archivo. (Establecer la ruta de acceso al archivo)

En el casillero **Buscar en** de la **Figura 41,** hacer un clic en la flecha descendente y verificar que aparece una lista con carpetas y unidades de disco. Seleccionar la Unidad de Disco en donde está guardado el archivo que queremos abrir. Por ejemplo si está guardado en la disquetera elegimos la opción ¨Disco de 3 $^1/_2$ (¨a: ¨)¨.

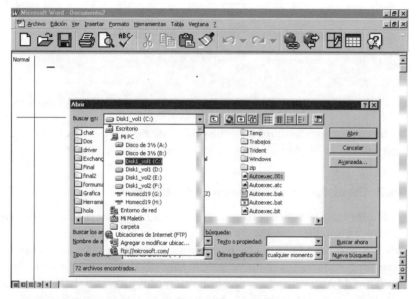

Figura 41. *Aquí se ¨esconden¨ todos los lugares en donde podemos buscar un archivo.*

Debajo del casillero Buscar en aparecen todas las carpetas y archivos contenidos en esa unidad de disco, como se muestra en la **Figura 42**. Si el documento está guardado en alguna de estas carpetas hay que hacer doble clic en el símbolo de carpeta que precede al nombre para abrirla y poder ver el archivo.

Figura 42. *Todas estas carpetas se encuentran dentro del disco rígido.*

Cuando el documento aparece en la lista de archivos y carpetas hacer doble clic sobre él para abrirlo.

4.2. Establecer el Formato del archivo a abrir.

Si elegimos la ruta de acceso adecuada y el documento que buscamos no aparece en la lista, puede ser que la extensión que figura en el casillero **Tipo de Archivo** no coincida con la del documento que queremos abrir. En este caso lo que hacemos es hacer un clic sobre la flecha descendente del casillero **Tipo de Archivo** y, de la lista con diferentes formatos de archivos, elegir la opción" Todos los archivo (*. *) " para que *Word* muestre todos los archivos guardados en la unidad de disco y carpeta seleccionada, independientemente del tipo de documentos de que se trate.

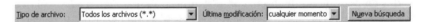

Figura 43. *Una mala elección en este casillero puede provocar que perdamos tiempo buscando un documento.*

Si el documento que buscamos ahora aparece en la lista, hacemos doble clic sobre él para abrirlo. De lo contrario, es posible que estemos confundidos respecto del nombre o de la ruta de acceso. En este caso, para hallar el documento realizamos una búsqueda como se indicará más adelante.

4.3. ¿Para qué utilizamos los botones que aparecen en el Cuadro de Diálogo Abrir?

A continuación se ilustra cada uno de estos botones y se enumeran sus funciones.

4.3.1. Botón Buscar en Favoritos

Figura 44. Este botón se usa para acceder rápidamente a la carpeta Mis Favoritos.

Este botón permite acceder rápidamente a la carpeta **Mis Favoritos,** que es la que contiene todos aquellos archivos y carpetas más consultados. Cuando hacemos un clic en este botón, el nombre **Favoritos** se escribe en el casillero **Buscar en** y debajo aparece una lista con las carpetas y los archivos guardados allí para que podamos abrirlos.

4.3.2. Botón Ingresar a Mis Favoritos

Figura 45. Un clic y la carpeta seleccionada ¨salta¨ a Mis Favoritos.

Este botón permite colocar carpetas de uso frecuente dentro de la carpeta **Mis Favoritos**. El procedimiento es el siguiente:

♦ En el cuadro de diálogo **Abrir** que se mostró antes, en el casillero **Guardar En** seleccionar la unidad de disco en donde se encuentra la carpeta a ubicar en **Mis Favoritos**, por ejemplo podemos elegir la opción ¨Disco de 31/2 (¨a: ¨)¨.
♦ Entre las carpetas que aparecen guardadas allí seleccionar la que vamos a ingresar a **Mis Favoritos** y luego hacer un clic en el botón **Ingresar a mis Favoritos**.

4.3.3. Botón Subir Nivel

Figura 46. Pasamos al nivel anterior con sólo pulsar un botón.

Trabaja junto con el casillero **Buscar en** y permite movernos un nivel más arriba en la ruta de acceso seleccionada por el usuario. Se usa mucho para simplificar el desplazamiento a través de carpetas anidadas, es decir una dentro de otra.

4.3.4. Botón Lista

Figura 47. *Nada más directo para ver el listado completo de archivos
y carpetas.*

Cuando pulsamos este botón *Word* muestra los archivos y carpetas guardados en la unidad de disco elegida distribuidos en varias columnas.

4.3.5. Botón Detalles

Figura 48. *Ideal para clasificar, a la izquierda las carpetas y a la derecha
los archivos.*

Al hacer clic sobre este botón *Word* muestra a la izquierda la lista de archivos y carpetas guardados en el disco seleccionado, y a la derecha los datos de esos archivos, por ejemplo el tamaño del archivo, el tipo de archivo, la fecha de la última modificación etc.

4.3.6. Botón Propiedades

Figura 49. *Con un sólo clic, todos los datos de un archivo.*

Este botón muestra a la izquierda la lista de archivos y carpetas, y a la derecha las propiedades del archivo seleccionado, por ejemplo la cantidad de palabras del documento, el autor, la última fecha de modificación, etc.

4.3.7. Botón Comando y Configuración

Figura 50. *Haciendo un clic aquí accedemos a los comandos de manejo
de archivos.*

El botón **Comando y Configuración** muestra una lista de comandos con los que podemos ver más detalles del documento seleccionado, ordenarlo, etc.

4.4. Recuperar un documento que nunca se guardó

Word 97 recupera automáticamente aquellos archivos que no pudieron ser guardados como consecuencia de un corte de energía. Cuando se inicia *Word*, luego del accidente, el archivo recuperado aparece automáticamente en pantalla. A este proceso se lo denomina **Autorrecuperación,** y si bien evita una pérdida por accidente, de ningún modo sustituye al comando **Guardar.** Esto quiere decir que **tan pronto** como aparece el documento en pantalla debemos guardarlo como lo haríamos con cualquier documento.

La función **Autorrecuperación** puede estar habilitada o no. Para habilitarla procedemos así:

♦ En el menú **Herramientas** elegimos **Opciones** y luego **Guardar**.
♦ En el Cuadro de Diálogo que aparece y que se muestra en la **Figura 51** activamos el casillero **Guardar info. de Autorrecuperación cada**.
♦ En el casillero ubicado a la derecha del anterior ingresamos un valor de tiempo, por ejemplo, 10 minutos.
♦ Pulsamos el botón **Aceptar**.

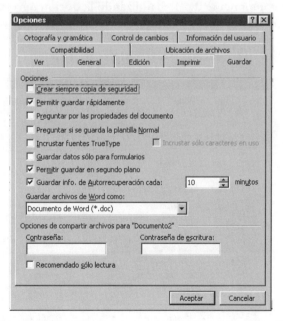

Figura 51. *¡Atención! Esta ventana nos ayuda a evitar pérdidas accidentales de archivos.*

Si el archivo no se perdió accidentalmente, sino que lo cerramos sin guardarlo, no podremos recuperarlo. Es decir, si *Word* nos preguntó si queríamos guardarlo y nosotros dijimos que no, evidentemente no quedará guardado y por lo tanto no podremos recuperarlo.

4.5. ¿Podemos abrir un archivo dañado?

Cuando el sistema no responde al intentar abrir un documento, es posible que el archivo esté dañado. En estos casos podemos intentar abrirlo utilizando el **Convertidor Especial para Recuperar Documentos Dañados** con que cuenta *Word*.

Para recuperar el texto de un documento dañado utilizando este convertidor procedemos así:

◆ En el menú **Herramientas** elegimos **Opciones** y seleccionamos la ficha **General**.
◆ En el Cuadro de Diálogo de la **Figura 52** habilitamos el casillero **Confirmar Conversiones al Abrir** y pulsamos **Aceptar**.
◆ Una vez establecida la configuración anterior realizamos todos los pasos para abrir el documento pero, en el casillero **Tipo de archivo** del cuadro de diálogo **Abrir**, seleccionamos la opción **Recuperar texto de cualquier archivo** y recién entonces pulsamos **Abrir**. Si no existe la opción **Recuperar texto de cualquier archivo** quiere decir que el Convertidor Especial para Recuperar Documentos Dañados no está instalado. En ese caso habrá que instalarlo como cualquier otro componente de *Word* utilizando la opción **Agregar o Quitar Programas** ubicada en el **Panel de Control** del menú **Inicio** de *Windows* 95/98. (Ver apéndice al final del manual)

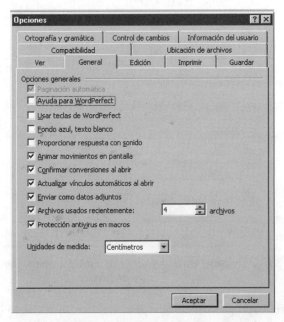

Figura 52. *Configuramos esta ventana para abrir cualquier tipo de archivo, incluso si está dañado.*

4.6. ¿Cómo buscamos un documento perdido?

Muchas veces ocurre que guardamos un documento y cuando vamos a abrirlo no aparece en donde esperábamos. Lo que generalmente pasa en estos casos es que, si bien el documento está guardado, no lo vemos porque el formato que tiene no coincide con el formato que figura en el casillero **Tipo de Archivo** del Cuadro de Diálogo **Abrir**. Por ejemplo, si en este casillero figura el formato "Txt", Word sólo listará los documentos con ese formato y será imposible ver archivos "doc", "dot", etc. Para asegurarnos que Word muestre todos los archivos guardados en la ruta de acceso elegida, independientemente del formato que tengan, hay que elegir la opción "Todos los archivos", y verificar que la misma aparece escrita en el casillero **Tipo de Archivo del** Cuadro de Diálogo **Abrir** que mostramos varias veces a lo largo de este capítulo, y que se muestra nuevamente en la **Figura 53.**

Lo otro que puede ocurrir es que recordemos mal el lugar o el nombre con que guardamos el documento. Cuando esto ocurre, generalmente hacemos una búsqueda utilizando parámetros aproximados y todo otro criterio que nos permita dar con el documento perdido. Un ejemplo de ésto es la búsqueda por fecha, título, etc. A continuación se enumeran una serie de instrucciones para buscar un archivo perdido:

- En el casillero **Buscar en** del Cuadro de Diálogo **Abrir** que se muestra en la **Figura 53** elegir la unidad de disco en donde se realizará la búsqueda.
- En el casillero **Nombre del Archivo** ingresar un dato aproximado, por ejemplo, si recordamos que el nombre empezaba con "s" ingresar "s*" para que *Word* busque todos los archivos que empiezan con la letra "s" y sigan con cualquier otro carácter.

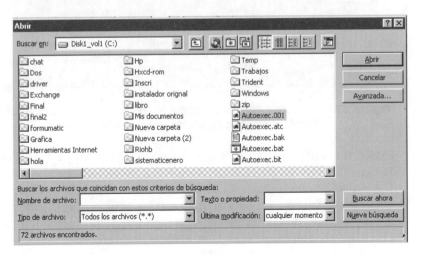

Figura 53. *Aquí se inicia la búsqueda de un archivo.*

♦ En el casillero **Texto o Propiedad** ingresar algún fragmento de texto que recordemos aparecía en el documento perdido. Generalmente se ingresa el título del documento. (Ver **Figura 54**)

♦ En el casillero **Ultima modificación** elegir, de la lista, el tiempo aproximado que pasó desde la última vez que trabajamos en el documento, por ejemplo ¨Una semana¨. (Ver **Figura 54**)

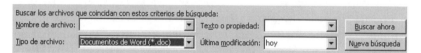

Figura 54. *Estos casilleros se usan para ingresan los criterios de búsqueda fecha, nombre, etc.*

♦ Pulsar el botón **Avanzada** y verificar que aparece el Cuadro de Diálogo de la **Figura 55**.

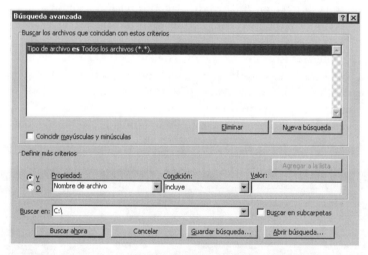

Figura 55. *La búsqueda avanzada consiste en ingresar criterios de búsqueda lo más específicos posibles para el archivo perdido.*

♦ Seleccionar el operador lógico ¨Y¨ o el operador lógico ¨O¨ para establecer cómo se combinarán los criterios de búsqueda ingresados hasta ahora y los que se ingresarán en esta ventana. Es decir, establecer si *Word* buscará un archivo con las características 1 y 2 o un archivo con las características 1 o 2.

♦ Habilitar el botón **Buscar en subcarpetas** para que *Word* busque dentro de todas las carpetas y subcarpetas de la unidad de disco elegida.

♦ Deshabilitar la opción **Mayúscula/Minúscula** para que *Word* se fije en el nombre del archivo y no en el modo como fue escrito.

◆ Utilizando el casillero **Propiedad, Condición y Valor** armar un criterio de búsqueda adicional que consideremos útil para dar con el documento. Por ejemplo, podemos elegir en el casillero **Propiedad** la opción ¨Ultima fecha de impresión¨, en el casillero **Condición** la opción ¨en¨ y en el casillero **Valor** escribir ¨Agosto¨.

◆ Pulsar el botón **Agregar a Lista** para ingresar el criterio armado en el punto anterior a la lista de criterios de búsqueda establecidos hasta ahora.

◆ Utilizar los mismos casilleros anteriores para armar un segundo criterio de búsqueda. Por ejemplo, elegir en el casillero **Propiedad** la opción ¨Contenido¨, en el casillero **Condición** la opción ¨Incluye frase¨ y en el casillero **Valor** escribir ¨ LE PARC SA. ¨

◆ Pulsar el botón **Agregar a Lista** para ingresar este segundo criterio a la lista de criterios establecidos hasta ahora.

◆ Pulsar el botón **Buscar Ahora.**

Cuando *Word* inicia la búsqueda, el puntero cambia a reloj de arena y hay que esperar. Todos los documentos que cumplan con los criterios de búsqueda establecidos en la ventana **Abrir** y en la ventana **Avanzada**, aparecerán listados debajo de su correspondiente carpeta y podrán abrirse. En el ejemplo anterior, *Word* buscará en todas las carpetas y subcarpetas del disco rígido ¨c:\¨ un documento que haya sido modificado la semana anterior, cuyo nombre empiece con ¨s¨, que se haya impreso por última vez en agosto y que además tenga escrito en alguna parte la frase ¨LE PARC S.A¨.

Si no existe ningún documento con esas características aparecerá, en la parte inferior de la ventana **Abrir**, un cartel con la leyenda ¨0 archivo encontrado¨

4.7 ¿Podemos proteger un documento para que no sea abierto o modificado?

Sí podemos hacerlo, de hecho, existen tres tipos de protección distintas:

4.7.1 Protección Sólo Lectura.
El documento puede ser abierto y leído pero no modificado.

4.7.2 Protección Contra Escritura.
El documento puede ser abierto y leído, pero para modificarlo debemos conocer una contraseña.

4.7.3 Protección Lectura/ Escritura.
El documento no puede ser abierto ni leído sin conocer la contraseña.

Se entiende por contraseña una combinación de hasta 15 caracteres, que pueden ser letras, números, símbolos y espacios. *Word* mostrará un asterisco (*) por cada carácter ingresado.

Para proteger un documento procedemos así:

♦ Con el documento activo en pantalla elegimos **Archivo** y luego **Guardar Como**.

♦ En el cuadro de Diálogo **Guardar** que se mostró antes ingresamos los paráme- tros bajo los cuales se guardará el archivo, esto es, el nombre y tipo de archivo y la ruta de acceso

♦ Pulsamos el botón **Opciones**.

♦ Verificamos que aparece el Cuadro de Diálogo de la **Figura 56**.

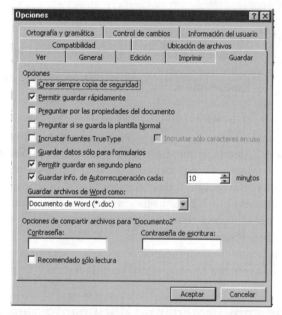

Figura 56. *En esta ventana ingresamos una contraseña para proteger el documento.*

Protección Sólo Lectura.

♦ Habilitamos el casillero **Recomendado Sólo Lectura** y pulsamos **Aceptar**.

Protección contra escritura.

♦ Ingresamos una contraseña en el casillero **Contraseña Escritura** y pulsamos **Aceptar**. *Word* solicitará la confirmación de la contraseña, volver a ingresarla respetando minúsculas y mayúsculas.

Protección lectura/escritura.

♦ Ingresar una contraseña en el casillero **Contraseña** y pulsar **Aceptar**.

Word solicitará la confirmación de la contraseña, volver a ingresarla respe- tando minúsculas y mayúsculas.

5. IMPRESIÓN DE UN DOCUMENTO

Antes de imprimir un documento tenemos que corroborar que la impresora esté bien conectada a la computadora y que haya sido instalada en *Windows*, ya que recién cuando está instalada en el sistema operativo queda disponible para cualquiera de las aplicaciones que trabajan bajo este entorno (por ejemplo *Word*).

Además de lo anterior, hay que verificar que tiene papel y tinta y que está **On Line**, es decir lista para imprimir. El modo de verificar ésto es propio de cada impresora, por lo que se recomienda consultar el manual del usuario con el que viene la mayoría de las impresoras.

Una vez corroborado todo lo anterior, y cuando el documento está en pantalla, lo único que hay que hacer es un clic en el botón Imprimir de la barra de Herramientas **Estándar** que tiene el aspecto de la **Figura 57**.

Figura 57. *Desde este botón se larga la impresión.*

Word mostrará, en la parte inferior de la ventana Principal, un ícono con forma de impresora y abrirá una ventana mostrando la evolución de la impresión, es decir, qué parte del documento ya se mandó a la impresora y qué parte no.

Cuando iniciamos la impresión desde el botón **Imprimir** que mostramos antes, no podemos determinar los parámetros de impresión, es decir, no podemos especificar qué hojas imprimir y cuales no o cuantos juegos, etc. ya que *Word* maneja la impresión automáticamente, guiándose por parámetros preestablecidos.

Para personalizar la impresión, es decir para poder acceder a una ventana y elegir qué imprimir y qué no, hay que utilizar el comando **Imprimir** del menú **Archivo**.

5.1. Personalizar la impresión

Como dijimos antes, personalizar la impresión significa elegir los parámetros adecuados para el tipo de impresión que necesitamos. Cuando elegimos **Achivos** y luego **Impresión**, o bien si pulsamos las teclas CTRL+P aparece el Cuadro de Diálogo **Imprimir** que se muestra en la Figura 58 desde donde podemos modificar los parámetros predeterminados.

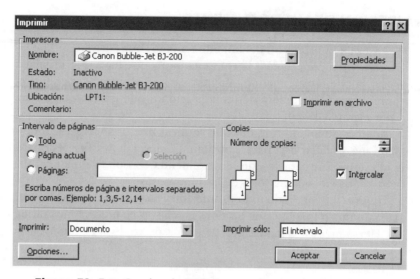

Figura 58. *Este Cuadro de Diálogo permite personalizar la impresión.*

A continuación analizaremos la función de cada uno de los elementos de este Cuadro de Diálogo:

5.1.1. Casillero Nombre de la Impresora

En este casillero aparece el nombre de la impresora con la que vamos a trabajar. Si la computadora está conectada a dos impresoras, o si existe algún otro dispositivo de salida, como por ejemplo un módem, este casillero tiene asociada una lista de periféricos de salida y hay que elegir el que queremos usar para nuestra impresión.

5.1.2. Casillero Imprimir a un Archivo.

Sólo se usa para imprimir el documento en un archivo en vez de hacerlo en papel. Dicho archivo lleva la extensión ¨prn¨ y puede ser impreso incluso desde DOS.

5.1.3. Cuadro Intervalo de Página

En el cuadro Intervalo de Página determinamos el rango de impresión. Las opciones son las siguientes:

♦ **Todo**: Se imprimirá todo el documento.
♦ **Página actual**: Se imprimirá sólo la página en la que se encuentra el cursor.
♦ **Páginas**: Se imprimirán las páginas especificadas en el casillero correspondiente, por ejemplo para imprimir sólo las páginas 1 y 2 hay que escribir 1,2, mientras que para imprimir desde la página 1 hasta la página 5 hay que escribir 1-5.
♦ **Sólo texto seleccionado**: Se imprimirá sólo el texto seleccionado antes de ejecutar el comando **Imprimir**.

5.1.4. Casillero Número de Copias

Ingresamos aquí la cantidad de juegos que necesitamos. Este casillero trabaja con el casillero **Intercalar Páginas** que permite determinar si se imprimirá primero todo un juego y luego el otro, o si se hará dos veces cada página.

5.1.5. Casillero Imprimir Sólo

En este casillero determinamos la impresión de ambas carillas de la hoja. Para ello procedemos así:

♦ Realizamos una primera impresión de todo el documento pero habilitando, en el casillero **Imprimir Sólo,** la opción **Páginas impares**.
♦ Damos vuelta el papel.
♦ Realizamos una segunda impresión de todo, pero verificamos que el casillero **Imprimir Sólo** ahora tenga habilitada la opción **Páginas pares**.

5.1.6. Botón Propiedades

Este botón abre la ventana de Impresión de la impresora para establecer, entre otros, los siguientes parámetros:

♦ La calidad de la impresión, por ejemplo **Borrador**, **Normal**, **Optima**.
♦ El color de la impresión (Monocromática o color).
♦ La calidad de los dibujos.

La **Figura 59** muestra una ventana de Impresión de una impresora a Chorro de Tinta.

Figura 59. *Ventana de impresión de una impresora a Chorro de Tinta.*

5.1.7. Botón Opciones

Este botón abre la ventana de la **Figura 60,** desde donde se determina cuales elementos del documento se imprimirán y cuales no. Algunas de las opciones son:

- Incluir dibujos en la impresión.
- Incluir Anotaciones ocultas.
- Incluir Resumen del documento.
- Incluir texto oculto.

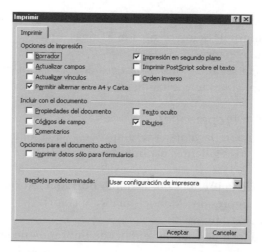

Figura 60. *Ventana que se usa para personalizar la impresión.*

5.2. ¿Cuál es el modo más directo de cancelar una impresión?

La información que se manda a imprimir no va directamente a la impresora sino que hace escala en una memoria temporal que se denomina Administrador de Impresión. Esto permite anular una impresión que ya fue solicitada, quitando el documento del Administrador de Impresión antes de que el mismo sea enviado a la impresora. Si queremos cancelar la impresión tan pronto como la ordenamos, lo que conviene hacer es doble clic sobre el ícono con forma de **Impresora** que aparece en la parte inferior de la pantalla cuando se ordena la impresión. Esta acción detendrá la impresión de todos los trabajos que aún no fueron enviados a la impresora.

Si ordenamos la impresión de varios trabajos y luego queremos detener la impresión de alguno de ellos pero no de todos, lo que hacemos es abrir el Administrador de Impresión y elegir allí qué eliminar de la lista y qué no. Recordemos que una vez ordenada una impresión, esta orden pasa a un lugar denominado Administrador de Impresión donde espera, junto con otros archivos, su turno en la impresora.

En la **Figura 61** se muestra el aspecto que tiene la ventana del Administrador de Impresión cuando un usuario mandó a imprimir nueve veces el mismo documento pensando que la impresora no respondía. Como se ve en esta Figura el primer documento está en proceso de impresión mientras que los restantes están esperando su turno. La palabra ¨Queue¨ significa en inglés ¨En la cola¨. De hecho podría decirse que los documentos ¨Hacen cola ¨ en el Administrador de Impresión para ser impresos.

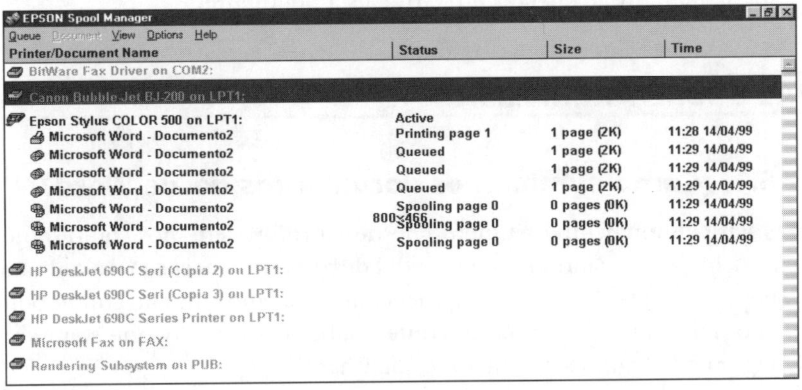

Printer/Document Name	Status	Size	Time
BitWare Fax Driver on COM2:			
Canon Bubble Jet BJ-200 on LPT1:			
Epson Stylus COLOR 500 on LPT1:	**Active**		
Microsoft Word - Documento2	Printing page 1	1 page (2K)	11:28 14/04/99
Microsoft Word - Documento2	Queued	1 page (2K)	11:29 14/04/99
Microsoft Word - Documento2	Queued	1 page (2K)	11:29 14/04/99
Microsoft Word - Documento2	Queued	1 page (2K)	11:29 14/04/99
Microsoft Word - Documento2	Spooling page 0	0 pages (0K)	11:29 14/04/99
Microsoft Word - Documento2	Spooling page 0	0 pages (0K)	11:29 14/04/99
Microsoft Word - Documento2	Spooling page 0	0 pages (0K)	11:29 14/04/99
HP DeskJet 690C Seri (Copia 2) on LPT1:			
HP DeskJet 690C Seri (Copia 3) on LPT1:			
HP DeskJet 690C Series Printer on LPT1:			
Microsoft Fax on FAX:			
Rendering Subsystem on PUB:			

Figura 61. Aspecto que tiene la cola de impresión cuando está cargada.

El Administrador de Impresión existe debido a la diferencia de velocidades que hay entre la impresora y la computadora. La impresora no puede sacar los trabajos que le envía la computadora a la misma velocidad a la que le llegan, por lo que necesita de un ¨Buffer¨ que retenga los trabajos y se los mande a medida que va terminando. En ese sentido el Administrador de Impresión hace de coordinador entre el microprocesador y la impresora.

Para abrir el Administrador de Impresión hay que hacer un clic sobre el ícono correspondiente ubicado en la Barra de Tareas de *Windows* 95/98. Este ícono sólo está visible cuando existen trabajos de impresión pendientes y no durante todo el proceso de impresión. Esto significa que el Administrador de Impresión se cierra una vez que envió todos los trabajos a la impresora, aún cuando la impresora todavía esté trabajando.

En el Administrador de Impresión, al lado del documento a imprimir, aparece la cantidad de páginas ya enviadas a la impresora. Cuando se detiene una impresión, en realidad se detiene la parte del trabajo que no fue enviada a la impresora. Un ejemplo de ésto es el siguiente: Supongamos que cuando ingresamos al Administrador de Impresión para anular un trabajo, vemos que ya fueron enviadas 2 páginas de las 10 que constituyen el documento. En este caso podremos anular las 8 que todavía no fueron enviadas a la impresora, las otras dos se imprimirán, a menos que apaguemos la impresora.

Cuando el Administrador de Impresión envía el total del trabajo a la impresora, y no existen otros trabajos en la cola, la ventana se cierra automáticamente y el ícono correspondiente desaparece de la Barra de Tareas.

Es importante destacar que si no eliminamos los trabajos de impresión pendientes en el Administrador de Impresión, éstos igual se enviarán a la impresora aún cuando la apaguemos y volvamos a encender. Esto quiere decir que el modo que tiene *Windows* de manejar la impresión no permite detener una impresión apagando la impresora, ya que en cuanto volvemos a encenderla, el Administrador de Impresión detecta que el periférico está listo, e inmediatamente le envía todo lo que está pendiente.

6. MÁS SOBRE ARCHIVOS.

6.1. ¿Cómo eliminamos documentos desde Word?

Para eliminar un documento desde Word procedemos como si fuéramos a abrirlo pero, cuando el nombre del documento aparece resaltado, ubicamos el puntero justo arriba de la selección y hacemos un clic con el botón derecho del Mouse. En el menú contextual que aparece y que se muestra en la **Figura 62** elegimos el comando **Eliminar**.

Figura 62. *Menú que se utiliza para eliminar un archivo.*

En el cuadro de Diálogo de la **Figura 63** seleccionar **Sí** o **No**, dependiendo si queremos eliminarlo o estamos arrepentidos.

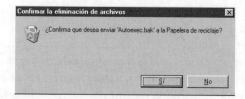

Figura 63. *Aquí decidimos si eliminar o no el archivo.*

El menú contextual anterior se usa también para **Cambiar el Nombre** a un documento. Es importante verificar que el documento no esté abierto antes de intentar esta operación.

6.2. ¿Cómo se tranfiere un documento de una carpeta a otra?

Para transferir un documento de una carpeta a otra procedemos como si fuéramos a eliminarlo pero, en el menú contextual que aparece, en lugar de elegir el comando **Eliminar** elegimos el comando **Cortar**. El archivo no desaparecerá del directorio de origen.

En el casillero **Buscar En** del Cuadro de Diálogo **Abrir,** seleccionamos la unidad de Disco que contiene la carpeta adonde queremos transferir el archivo. Cuando la misma aparece en la lista la seleccionamos, ubicamos el *Mouse* justo arriba de la selección y pulsamos el botón derecho. En el menú contextual que mostramos antes elegimos el comando **Pegar**.

6.3. ¿Podemos insertar un archivo dentro de otro?

Sí podemos hacerlo, para ello procedemos así:

- ◆ Abrimos el archivo de destino.
- ◆ Ubicamos el cursor en el lugar en donde aparecerá el archivo insertado.
- ◆ En el menú **Insertar** elegimos **Archivo**.
- ◆ En el cuadro de Diálogo **Abrir** elegimos el nombre y ruta de acceso del documento a insertar, del mismo modo que si fuéramos a abrirlo y salimos aceptando.
- ◆ La inserción tendrá lugar de la posición del cursor en adelante.

6.4. ¿Cómo podemos conocer toda la información sobre un documento?

Conocer toda la información significa acceder a los siguientes cuatro tipos de datos:

6.4.1. General
- ◆ Tipo de archivo.
- ◆ Extensión.
- ◆ Ubicación.
- ◆ Tamaño.

6.4.2. Estadísticos
- ◆ Fechas de última modificación.
- ◆ Fecha de creación.
- ◆ Cantidad de líneas escritas.

Archivos 3

6.4.3. Contenido

♦ Aparecerá una muestra del contenido del archivo seleccionado.

6.4.4. Resumen

♦ Nombre del autor.
♦ Título del documento.
♦ Asunto.

Para conocer cualquiera de estos datos procedemos como si fuéramos a abrir el archivo pero:

♦ Cuando el nombre del archivo aparece en pantalla lo seleccionamos y pulsamos el botón derecho del *Mouse*.
♦ En el menú contextual que se muestra a continuación y que también usamos para renombrar, eliminar y transferir archivos elegimos el comando **Propiedades**.
♦ Automáticamente aparece el Cuadro de Diálogo de la **Figura 64** conteniendo todos los datos anteriores.

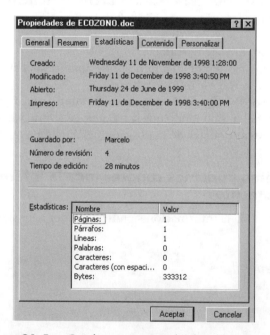

Figura 64. *Este Cuadro muestra todos los datos de un archivo.*

6.5. ¿Qué precauciones podemos tomar para no perder accidentalmente un documento?

Para no perder accidentalmente un documento podemos habilitar las funciones **Autoguardar Cada** y **Crear Copia de Seguridad**, que se encuentran en **Herramientas**, **Opciones**, ficha **Guardar** como se muestra en la **Figura 65**.

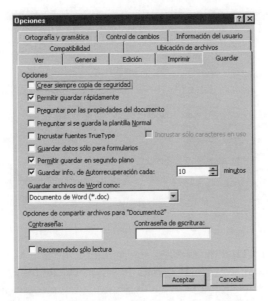

Figura 65. *Ventana que se utiliza para personalizar el guardado.*

6.5.1. Función Autoguardar Cada

Al habilitar esta función, *Word* guarda periódicamente el documento en el que estamos trabajando bajo el mismo nombre y ruta de acceso elegido por nosotros. **Autoguardar Cada** graba constantemente el documento activo sin necesidad de que nosotros tengamos que hacerlo. Esta función es útil cuando un corte de energía no nos da tiempo de salvar los cambios o cuando por distracción cerramos un documento sin salvarlo.

6.5.2. Función Crear Siempre Copia de Seguridad

Al habilitar esta opción, *Word* realiza una copia del original del documento y la va actualizando a medida que trabajamos. Se trata de un documento mellizo que se guarda en la misma ruta de acceso del documento original y con el mismo nombre pero precedido por el distintivo •Copia de seguridad de...•. La extensión de las copias de seguridad es WBK.

La función **Crear siempre copia de seguridad** es útil cuando se daña el documento original. En este caso podremos buscar su • mellizo • en la misma unidad de disco y carpeta en la que estábamos trabajando.

Para poder abrir una copia de seguridad hay que:

♦ En **Archivo** elegir **Abrir**.
♦ Verificar que aparece el cuadro de diálogo **Abrir** que se muestra en la **Figura 66**.

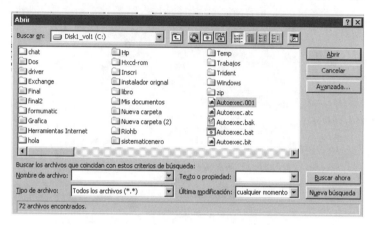

Figura 66. *Cuadro de Diálogo Abrir.*

♦ En el casillero **Tipo de Archivo**, seleccionar la opción **Ver Todos los Archivos**.
♦ Observar que aparecen las copias de seguridad de los archivos guardados en esa carpeta, seleccionar la copia de seguridad que corresponde al archivo perdido y pulsar el botón **Abrir**.

6.6. ¿Existe algún modo de recuperar un documento que fue eliminado?

Cuando eliminamos un archivo, éste pasa a la Papelera de Reciclado, de modo que si la papelera no se vació recientemente es posible que el documento todavía se encuentre allí.

Para buscar un documento en la Papelera de Reciclado procedemos así:

♦ Seleccionamos el ícono Papelera de Reciclado ubicado en el escritorio de Windows 95/98 y que se muestra en la **Figura 67**.

Figura 67. *Papelera de reciclado.*

♦ Buscamos en la lista de documentos el que queremos rescatar.
♦ Hacemos doble clic sobre él.

6.7. ¿Cómo aceleramos el proceso de guardado?

Para acelerar el proceso de guardado habilitamos la función **Permitir Guardar Rápidamente**. Esta función determina que *Word* guarde sólo las últimas modificaciones que se realizaron en el documento activo y deje igual aquello que no cambió. Esto generalmente se hace cuando trabajamos con documentos extensos ya que en estos casos guardar todo el documento lleva varios minutos, durante los cuales el teclado queda bloqueado.

Para habilitar la función **Guardar Rápidamente** procedemos así:

♦ En el menú **Herramientas** elegimos **Opciones**.
♦ En el Cuadro de Diálogo de la **Figura 68** elegimos la ficha **Guardar,** habilitamos la casilla **Permitir Guardar Rápidamente**, y luego pulsamos **Aceptar**.

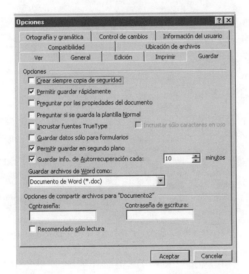

Figura 68. *Desde aquí aceleramos el proceso de guardado.*

♦ Si activamos la casilla **Crear Siempre Copia de Seguridad** en este mismo cuadro de Diálogo no podremos habilitar **Permitir Guardar Rápidamente**, ya que las copias de seguridad sólo pueden crearse cuando se guarda todo.

6.8. ¿Qué es un Backup?

Es una copia de seguridad que hace el usuario para resguardar un documento por si se daña la unidad de almacenamiento en la que lo tiene guardado. Cuando hablamos de *Backup* generalmente nos referimos a la copia que se hace en un disquete, disco Zip u otra unidad de almacenamiento secundaria, exterior o independiente del disco rígido.

Existen diferentes modos de hacer un *Backup*, aquí se darán las instrucciones necesarias para hacerlo con el utilitario que *Windows* trae para tal fin y que se denomina ***Backup***.

Backup comprime los archivos o directorios y los guarda en la unidad de almacenamiento designada. La razón de compresión depende del tipo de archivo.

Antes de utilizar *Backup* necesitamos saber si ésta facilidad está instalada o no. Para ello procedemos así:

♦ Seleccionamos **Inicio** y luego **Programas/Accesorios/Herramientas del Sistema** en la ventana de Windows95/98 como se muestra en la **Figura 69**.

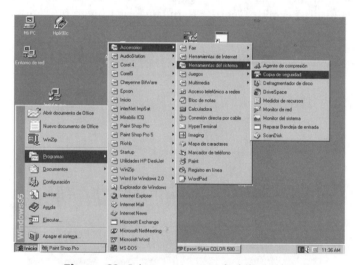

Figura 69. *Primer paso para habilitar el Backup.*

♦ Si *Backup* figura entre las herramientas que se encuentran allí significa que está instalado.

En ese caso procedemos así:

♦ Hacemos doble clic para abrirlo.
♦ Cerramos el cuadro que informa sobre los riesgos de hacer un *backup* de todo el sistema ya que no es nuestro caso.
♦ En la ventana que se muestra a continuación seleccionamos la unidad de disco en la que se encuentran la o las carpetas a las que se les aplicará *Backup*.

¡IMPORTANTE!: No habilitar el casillero izquierdo de la unidad de disco porque iniciaremos un backup de TODA esa unidad. (Ver **Figura 70**)

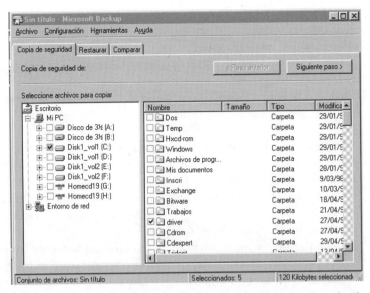

Figura 70. *Aquí se selecciona la unidad de disco y carpetas para backupear.*

♦ Verificar que aparecen todas las carpetas y archivos contenidos en esa unidad de disco.

♦ Habilitar el casillero izquierdo de la carpeta o archivos a los que queremos aplicar *Backup*.

♦ Pulsar el botón **Paso Siguiente** ubicado en la parte superior derecha de la ventana.

♦ Verificar que aparece la ventana de la **Figura 71**.

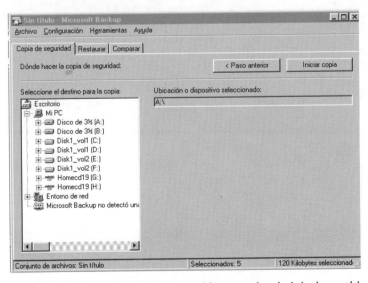

Figura 71. *Aquí se selecciona el lugar a donde irán los archivos (generalmente discos de 31/2).*

♦ Seleccionar la unidad de disco destino, por ejemplo " **a:** \".

♦ Pulsar el botón **Iniciar Copia.**

♦ Aparecerá un cuadro solicitándonos un nombre para la copia de seguridad, ingresar el nombre.

♦ Observar que el procedimiento se inicia. A medida que sean solicitados ingresar uno a uno los disquetes en blanco.

Existen otras aplicaciones que comprimen archivos y directorios en múltiples disquetes. Las más utilizadas son PKzip, Arj y Winzip. Esta última puede realizar la compresión de archivos de tipo arj, pkzip, y muchos otros. Utilizando estas aplicaciones en forma adecuada podemos guardar directorios de 30 o 40 Mb en sólo un par de disquetes de 1.4 Mb de capacidad. De las tres aplicaciones mencionadas antes, Winzip es la más adecuada para los usuarios que recién empiezan, porque no es necesario ingresar manualmente los parámetros de compresión. Se trata de una aplicación *Shareware* que se distribuye gratuitamente con revistas de computación o que puede bajarse de Internet.

PROBLEMAS

1. Lorena no encuentra un archivo que guardó en el disco rígido hace tres días.

2. A Matías un corte de corriente le impide guardar el archivo en el que estaba trabajando.

3. Marina ordena la impresión de tres documentos e inmediatamente se da cuenta de que se olvidó de cambiar la fecha en uno de ellos. Intenta detener la impresión apagando la impresora, pero cuando la vuelve a encender la impresora sigue imprimiendo.

4. Oscar acaba de terminar un documento y no sabe cómo guardarlo en su disquete de trabajo.

5. Delia quiere cambiar el nombre de uno de sus documentos pero no sabe cómo hacerlo.

6. Atilio quiere borrar varios documentos guardados en la carpeta Mis Documentos y no sabe cómo hacerlo.

7. Luly quiere crear una carpeta con el nombre Trabajos y ubicarla adentro de la carpeta Mis Favoritos pero no sabe cómo hacerlo.

8. Patricia está cansada de diseñar la misma tabla todos los meses para ingresar los balances de fin de mes.

9. Susana necesita saber la cantidad de líneas que tiene el texto de una traducción, para presupuestar su trabajo. Decide proceder de la siguiente forma: Imprime el documento, cuenta las líneas de las dos primeras hojas, saca un promedio de líneas por página y finalmente multiplica ese número por el total de páginas de la traducción.

10. Natalio comparte la computadora con sus compañeros de trabajo. Cuando se ausenta de la oficina se preocupa de que alguien pueda acceder a sus carpetas y abrir alguno de sus documentos personales.

11. Marcela tiene que agregar texto a diez dibujos extraídos de Internet. Cada uno de los dibujos está guardado en un archivo con extensión JPG, de modo que ella tiene diez archivos de extensión JPG que debe insertar por turno en un documento *Word*. Para hacer el trabajo elegir **Insertar** y luego **Imagen** y seleccionar el nombre del primer archivo a insertar. *Word* le muestra un cuadro con la leyenda ¨**Convertir el archivo de..**¨, seguido de una lista de filtros posibles. Marcela selecciona por turno cada uno de los filtros pero ninguno logra abrir el archivo. Al cabo de una hora se da por vencida.

SOLUCIONES

1. Lorena puede iniciar una búsqueda utilizando como criterio de búsqueda la fecha en que fue creado el archivo.
   El procedimiento es el siguiente:

   ♦ Elegir **Archivo** y luego **Abrir**.
   ♦ En el Cuadro de Diálogo **Abrir,** en el casillero **Buscar En**, seleccionar la unidad de disco ¨c:\¨
   ♦ En el casillero **Tipo de Archivo** seleccionar la opción ¨ Todos los archivos¨.
   ♦ Pulsar el botón **Avanzada**.
   ♦ En el cuadro de diálogo **Búsqueda Avanzada,** en el casillero **Propiedades** seleccionar la opción ¨Fecha de Creación¨.
   ♦ En el casillero **Condición** seleccionar la opción ¨Esta Semana¨.
   ♦ Habiliar la opción **Buscar en Subcarpetas**.
   ♦ Pulsar **Aceptar**.
   ♦ En la lista aparecerán todos los archivos creados durante la semana y guardados en el disco rígido.

2. *Word* 97 recupera automáticamente los archivos que no pudieron ser guardados como consecuencia de este tipo de accidentes. Cuando se inicie *Word* luego del corte, el archivo recuperado aparecerá automáticamente en pantalla. Para activar la función **Autorecuperación** es necesario tener habilitado el casillero **Guardar info. de Autorecuperación** en la ficha **General** de la ventana que aparece cuando elegimos, en el menú **Herramientas,** el comando **Opciones**.

3. Apagar y volver a encender la impresora no es ninguna solución. Por el contrario, muchas veces al retomar la impresión aparecerán códigos extraños en la hoja. Además, cuando el microprocesador detecta que el periférico de salida está nuevamente *ON LINE* (disponible) le envía todo lo que está pendiente en el Administrador de Impresión.
   Mariana debería detener la impresión haciendo doble clic en el ícono **Impresora** ubicado en la parte inferior de la pantalla.
   También podría eliminar el documento no deseado de la cola de Impresión. Esto se hace del siguiente modo:

   ♦ Ingresar al Administrador de Impresión a través del ícono correspondiente, ubicado en la Barra de Tareas de *Windows*95/98.
   ♦ Seleccionar el documento a eliminar.
   ♦ En el menú *Documento* elegir la opción *Interrumpir Impresión*.
   ♦ Verificar que el documento desaparece de la ¨cola¨.

4. Oscar tiene que hacer un clic sobre el botón con forma de disquete y llenar la ventana que aparece de acuerdo a lo siguiente:

♦ En el casillero **Guardar en** elegir la unidad de disco adonde se almacenará el documento. (Disco Rigido="C: \", disquetera="a: \")

♦ En el casillero **Nombre del Archivo** escribir un nombre cuidando de no ingresar accidentalmente un punto.

♦ En el casillero **Tipo de Archivo** verificar que está habilitada la opción "Documento de *Word*".

♦ Pulsar el botón **Guardar**.

5. Delia tiene que hacer lo siguiente:

♦ Seguir todos los pasos como si fuera a abrir el documento.

♦ Una vez el nombre del documento en pantalla, seleccionarlo.

♦ Pulsar el botón derecho del *Mouse*.

♦ Verificar que aparece el menú **Contextual** correspondiente.

♦ Seleccionar la opción **Cambiar Nombre**.

♦ Escribir el nombre deseado.

Para poder realizar esta operación es necesario que el documento a renombrar esté cerrado.

6. La carpeta Mis Documentos está adentro de la carpeta Mis Favoritos.

Para ingresar allí y borrar documentos hay que:

♦ Ejecutar los comandos **Archivo/Abrir**.

♦ Verificar que aparece el cuadro de Diálogo **Abrir**.

♦ Pulsar una vez sobre el botón **Mis Favoritos** (el de la estrellita).

♦ Observar que aparece la carpeta Mis Documentos.

♦ Hacer doble clic sobre esa carpeta.

♦ Mantener pulsada *SHIFT* (MAYUSCULA) y seleccionar con el *Mouse* cada uno de los archivos a borrar.

♦ Pulsar el botón derecho del *Mouse*.

♦ En el menú contextual correspondiente seleccionar el comando **Eliminar**.

♦ Verificar que los archivos seleccionados desaparecieron.

7. Luly debe hacer lo siguiente:

♦ En el menú **Archivo** elegir **Guardar Como**.

♦ Verificar que aparece el cuadro de Diálogo Guardar.

♦ Hacer un clic sobre el botón **Mis Favoritos** (Carpeta con estrellita).

♦ Verificar que aparecen todos los archivos ubicados en esa carpeta (entre ellos la carpeta Mis Documentos).

♦ Pulsar el botón **Nuevo** (Carpeta con estrellita atrás).

♦ Verificar que aparece una ventana en donde ingresar el nombre de la nueva carpeta.

8. Patricia puede crear una plantilla con la estructura de la tabla y cada fin de mes generar un documento nuevo basado en esa plantilla.

    El procedimiento en este caso es el siguiente:

♦ En el menú **Archivo** elegir **Nuevo**.

♦ En el cuadro de Diálogo **Nuevo** habilitar el casillero **Plantilla** (Ubicado abajo, a la derecha).

♦ En la hoja en blanco diseñar la tabla como lo haría cada mes.

♦ Guardar la plantilla como si fuera un documento, dándole un nombre representativo, por ejemplo Tabla (¡Ojo!, no modificar la ruta de acceso y la extensión propuesta por *Word*).

♦ En **Archivo** elegir **Nuevo**.

♦ Verificar que aparece el Cuadro de Diálogo **Nuevo**.

♦ En la ficha **General** verificar que aparece la nueva plantilla **Tabla** al lado de la plantilla **Documento en Blanco**.

9. Susana podría ahorrarse todo este cálculo utilizando los comandos **Herramienta/Contar Palabras**. Este comando brinda la información estadística del documento activo, es decir el número de palabras, líneas, párrafos etc.

    Si el documento no está abierto Susana puede:

♦ Proceder como si fuera a abrirlo.

♦ Cuando el nombre del documento aparece en pantalla, seleccionarlo y hacer un clic con el botón derecho del *Mouse*.

♦ Verificar que aparece un menú contextual.

♦ Seleccionar el comando **Propiedades**.

♦ En el Cuadro informativo que aparece, elegir la ficha **Estadística** y leer allí todos los datos numéricos del documento.

10. Natalio no tiene que preocuparse más. La próxima vez que tenga un rato libre puede proteger sus documentos con una contraseña. Esto se hace al momento de guardarlo, eligiendo el botón **Opciones** y luego, en la ventana que se abre, la ficha **Guardar**. Allí existe un casillero en donde ingresar la contraseña.

11. Es un problema de incompatibilidad de formato de archivos. Recordemos que para abrir un archivo que fue creado en otra aplicación hay que contar con los convertidores y filtros adecuados. *Word* 97 viene con el filtro adecuado para abrir imágenes de formato IPG, así como muchos otros convertidores y filtros que se muestran en el apéndice de este capítulo. Sin embargo, si existe un pro-

blema de este tipo, el único modo de remediarlo definitivamente es conseguir e instalar el filtro correspondiente al formato del archivo que queremos abrir. En el caso de Marcela, ella podría haber salido del paso abriendo los archivos con su navegador de Internet y con la imagen en pantalla, cortarlos y pegarlos en el documento *Word* utilizando como soporte el PORTAPAPELES (Clipboard).

FORMATO DE FUENTE

4

Tiempo de lectura y práctica:
1 hora y 15 minutos

Objetivo de la lección

■ Aprender a modificar el aspecto de la letra y de los párrafos de un documento.

1. FORMATO DE FUENTE

Antes de explicar cómo se modifica el Formato de Fuente definiremos algunos términos importantes para entender el tema.

1.1. Caracteres.

Son las letras, los espacios, los signos de puntuación, los números y los símbolos que utilizamos para escribir.

1.2. Fuente.

Una fuente es un tipo de letra. Algunos tipos conocidos son: Arial, MS Sans Serif, Times New Roman, Courier y Helvetica.

1.3. Formato de Fuente.

Se denomina Formato de Fuente al conjunto de atributos de la fuente con la que trabajamos. Elegir el Formato de Fuente significa elegir el estilo de la letra (negrita, cursiva, etc.), el tamaño, la distancia entre caracteres (expandido, comprimido, etc), el color, la posición respecto del renglón (Superíndice, Subíndice, etc.). Existe una Fuente y un Formato de Fuente Predeterminado que determina el aspecto de letra que vemos cuando iniciamos *Word*. Este Formato Predeterminado se guarda en la hoja en blanco, que es en realidad la plantilla **Documento en Blanco.** Cuando iniciamos un documento nuevo utilizando una hoja en blanco, incorporamos automáticamente una tipografía determinada que está pensada para la escritura ¨de todos los días¨. Las siguientes son algunas de las características del Formato de Fuente Predeterminado guardado en la plantilla Documento en Blanco:

- ◆ Tipo de letra: Times New Roman.
- ◆ Tamaño de letra: 10 ptos.
- ◆ Estilo de letra: Normal.
- ◆ Espacio entre caracteres: Normal.

1.4. ¿Cuándo modificamos estas características?

El Formato de Fuente se modifica cuando los atributos predeterminados no son los adecuados para nuestra presentación. La modificación puede hacerse antes o después de empezar a escribir.

1.4.1. Modificar el Formato de Fuente antes de escribir.

Esto se hace cuando de antemano sabemos que los atributos de Fuente predeterminados por *Word* no sirven para la presentación que estamos creando. En este caso lo que hacemos es ubicar el cursor en la primera línea, primera columna, y elegir los nuevos atributos de fuente. El cambio de formato tendrá lugar desde la posición del cursor en adelante.

1.4.2. Modificar el Formato de Fuente al finalizar la escritura.

La modificación del Formato de Fuente también puede realizarse cuando terminamos de escribir. Un ejemplo de ésto son los casos en los que escribimos un documento sin pensar en el aspecto del mismo y, al terminar, nos damos cuenta de que la apariencia no es la adecuada. En estos casos seleccionamos todo el texto eligiendo en **Edición** la opción **Seleccionar Todo** y luego modificamos el Formato de Fuente. El cambio tendrá lugar sobre el material seleccionado.

1.5. ¿Cómo conocemos el Formato de Fuente?

Existen tres modos de conocer el Formato de Fuente de una porción de texto. A continuación se desarrolla cada uno de ellos.

1.5.1. Determinar el Formato de Fuente leyendo la Barra de Herramientas Formato.

La Barra de Herramientas Formato, que se observa en la **Figura 1** muestra las características del texto seleccionado o del texto en el que se encuentra el cursor.

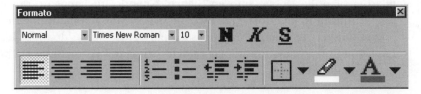

Figura 1. *En esta barra se pueden ver los atributos de fuente del texto.*

El segundo casillero empezando de la izquierda indica el nombre de la fuente utilizada, y el tercero el tamaño. Si los botones **Negrita, Cursiva** y **Subrayado** se encuentran pulsados, significa que ese estilo está aplicado al texto seleccionado o al texto en el que se encuentra el cursor.

A medida que recorremos el escrito, la Barra de Herramientas **Formato** cambia, reflejando los distintos formatos presentes en cada renglón.

1.5.2. Determinar el Formato de Fuente utilizando la ayuda de Word.

El procedimiento en este caso es el siguiente:

- ◆ En el menú **Ayuda** elegir **¿Qué es ésto?**
- ◆ Verificar que el puntero cambia a signo de pregunta.
- ◆ Llevar el signo de pregunta hasta la porción de texto cuyo Formato de Carácter queremos determinar y hacer un clic con el botón izquierdo.
- ◆ Verificar que aparece una ventana como la que se muestra en la **Figura 2**, con toda la información que necesitamos.

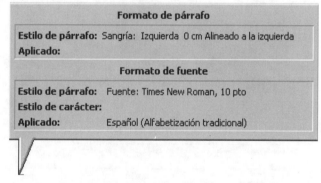

Figura 2. *Así se ven los datos del párrafo elegido cuando utilizamos la ayuda.*

1.5.3. Determinar el Formato de Fuente utilizando la Barra de Menú.

Para determinar el Formato de Fuente desde la Barra de Menú hay que utilizar el Cuadro de Diálogo **Fuente** del menú **Formato** que se muestra en la **Figura 3**. La porción de texto cuyo formato queremos conocer tiene que estar seleccionada. Los elementos de este Cuadro de Diálogo se describen a continuación:

Formato de fuente

♦ **Casillero Fuente:** En este casillero aparece la fuente del texto seleccionado o del texto en el que se encuentra el cursor.

♦ **Casillero Estilo de Fuente:** Aquí se muestra el estilo elegido, que puede ser negrita, cursiva, etc.

♦ **Casillero Tamaño:** Aquí aparece el tamaño de Fuente.

♦ **Recuadro Efectos Especiales:** Si el casillero está tildado significa que el Efecto Especial está aplicado. Son ejemplos de Efectos Especiales el relieve y la sombra.

♦ En la ficha **Espacio entre Caracteres** y en la ficha **Animación** aparecen los demás atributos de Fuente correspondientes a la porción de texto elegida.

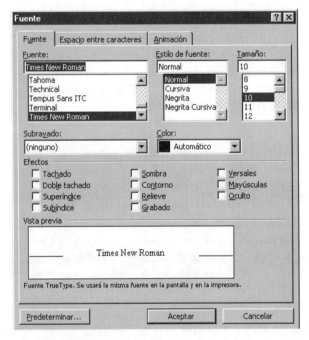

Figura 3. *En esta ventana se modifica el Formato de Fuente.*

1.6. ¿Cómo modificamos el Formato de Fuente?

Existen varios modos de modificar el Formato de Fuente. A continuación se desarrolla cada uno de ellos:

1.6.1. Modificar el Formato de Fuente desde la Barra de Formato.

Para modificar el tipo, tamaño, estilo y color de fuente desde la Barra **Formato** hay que utilizar los siguientes casilleros y botones :

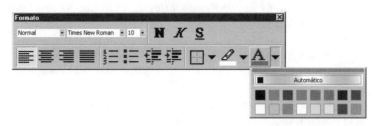

Figura 4. *La Barra de Herramientas Formato permite modificar el aspecto de la letra.*

En la **Figura 4**, el tipo de Fuente elegido es ¨Times New Roman¨, el tamaño es ¨10 puntos¨ y el estilo es ¨Normal¨ (ni ¨Negrita¨ ni ¨Cursiva¨ ni ¨subrayado¨ dado que ninguno de estos tres botones está pulsado). El color de la Fuente es negro, ya que el botón **Color** se encuentra desplegado con el color negro destacado.

1.6.2. Modificar el Formato de Carácter utilizando Atajos de Teclado.

Es otro modo de modificar la mayoría de los Formatos de Fuente, sin embargo, para que este método resulte práctico y rápido es indispensable memorizar las combinaciones de teclas, y usarlas seguido para no olvidarlas.

El siguiente cuadro muestra a la izquierda, las principales combinaciones de teclas y, a la derecha, el formato que modifican:

CTRL+SHIFT+F	Podemos seleccionar una fuente entre las que figuran en la lista.
CTRL+N	Aplica negrita al texto seleccionado.
CTRL+K	Aplica cursiva al texto seleccionado.
CTRL+< o CTRL+>	Disminuye o aumenta en un punto el tamaño de la letra.
CTRL+SHIFT+M	Ubica el cursor en el casillero Tamaño de la Barra de Herramientas Formato. Usando las flechas del teclado seleccionamos un tamaño de los que aparecen en la lista. Al pulsar ENTER el cambio se hará efectivo en el documento
CTRL+S, CTRL+P	Agrega subrayado simple, de palabra o doble o CTRL+D
CTRL+SIGNO MAS y CTRL+SIGNO IGUAL	Pasa el texto a Superíndice o Subíndice.
CTRL+SHIFT+L	Pasa el texto a Versales (mayúscula más pequeña).
SHIFT+F3	Alterna entre mayúscula, minúscula y formato tipo título (Cada una de las palabras con la primera letra en mayúscula).

1.6.3. Modificar el Formato de Fuente utilizando los comandos de la barra de Menú.

La barra de **Menú** permite realizar todas las modificaciones anteriores y además otras que no pueden hacerse desde la Barra **Formato**.

Para modificar el Formato de Fuente desde la Barra de Menú, seleccionamos la porción de texto cuyo formato queremos modificar y, en el menú **Formato**, elegimos **Fuente** o bien presionamos simultáneamente las teclas Alt+F.

En el Cuadro de Diálogo **Fuente**, que se muestra a continuación, seleccionamos por turno las fichas **Fuente**, **Espacio entre Caracteres** y **Animación** y realizamos las modificaciones correspondientes. A continuación se muestra cada una de estas fichas y se detalla la función de los elementos que la componen. Sugerimos identificar los elementos en el dibujo a medida que se lee la descripción de los mismos.

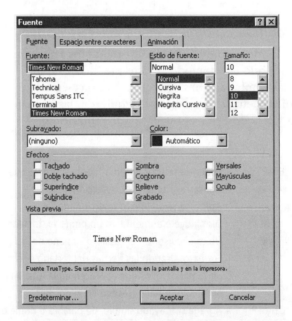

Figura 5. Esta ventana se usa para variar el aspecto de la letra.

Ficha Fuente (Ver **Figura 5**)
- **Casillero Fuente:** seleccionamos aquí el tipo de letra. Algunos tipos muy usados son Arial, Courier, Helvetica, Times New Roman, MS Sans Serif.
- **Casillero Estilo de Fuente:** En este casillero elegimos alguno de los siguientes estilos: Negrita, Cursiva, Negrita Cursiva, Normal.

♦ **Casillero Tamaño:** Hacemos un clic en la flecha descendente de este casillero y seleccionamos, de la lista que aparece, el tamaño de Fuente. Si el número no aparece en la lista lo escribimos en el casillero. Los tamaños de fuente están dados en puntos y la variedad depende de la impresora instalada y predeterminada, así como también de la fuente seleccionada. Si un tamaño no está disponible en la impresora, *Word* elegirá el tamaño disponible más cercano.

♦ **Casillero Subrayado:** Hacemos un clic en la flecha descendente y seleccionamos un subrayado adecuado. Las opciones son:

♦ **Sencillo**: Subraya con una sola línea todos los caracteres, incluidos los espacios entre palabras.

♦ **Sólo palabras**: Subraya las palabras, pero no los espacios.

♦ **Doble**: Subraya con una línea doble palabras y espacios.

♦ **Punteado**: Subraya con una línea palabras y espacios.

♦ **Casillero Color:** Elegimos aquí alguno de los 16 colores preestablecidos por *Word*.

♦ **Recuadro Efectos:** En este recuadro habilitamos alguno de los siguientes efectos:

♦ **Tachado**: Traza una línea por encima del texto seleccionado.

♦ **Superíndice y Subíndice**: Reduce el tamaño de la fuente y la sube o baja respecto de la línea base.

♦ **Oculto**: Oculta el texto que no queremos imprimir o ver en pantalla. Un ejemplo de ésto son las notas o comentarios. Para ver texto definido como oculto habilitamos el botón **Códigos Ocultos** en la Barra de Herramientas **Estándar.**

♦ **Versales**: Aplica mayúsculas pero de tamaño reducido.

♦ **Mayúscula**: Aplica mayúsculas al texto seleccionado. Esta opción no afecta a los números ni signos de puntuación ni caracteres no alfabéticos ni al texto ya escrito en mayúsculas.

♦ **Recuadro Muestra:** Verificamos aquí todos los formatos especificados antes.

Formato de fuente

4

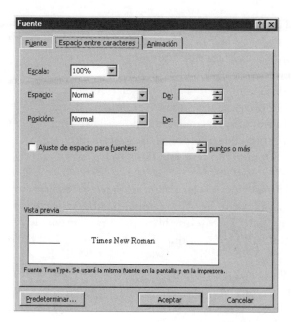

Figura 6. *Esta ventana permite determinar que la letra aparezca más junta o más separada.*

Ficha Espacio entre Caracteres (Ver **Figura 6**)

La ficha Espacio entre Caracteres se muestra en la **Figura 6**. A continuación se describen los elementos de esta ficha y sus respectivas funciones. Al igual que en el caso anterior se recomienda identificar los elementos en el dibujo a medida que se lee la descripción de los mismos:

- **Casillero Escala:** En este casillero se ingresa o selecciona un porcentaje para aumentar o disminuir el tamaño del texto seleccionado
- **Casillero Espacio:** Establecemos aquí el espacio existente entre un carácter y otro, las opciones son:

   ◆ **Normal**: Utiliza un espacio predeterminado para la fuente seleccionada, a fin de otorgar una visión armónica a la palabra.

   ◆ **Expandido**: Los caracteres se verán más separados entre sí. En el casillero **En** escribimos un valor de separación, el valor predeterminado es 3 puntos.

   ◆ **Comprimido**: Los caracteres aparecerán más apretados entre sí. En el casillero **En** establecemos un espacio de aproximación. El valor predeterminado es 1,75 puntos.

- **Casillero Posición:** Aquí indicamos la posición del texto respecto a la línea de base, las opciones son:

   ◆ **Normal**: A la altura de la línea base.

   ◆ **Más alto.**

   ◆ **Más bajo.**

◆ **Casillero Ajuste de Espacio para Fuentes:** Habilitamos este casillero si queremos que *Word* determine automáticamente la cantidad de espacio entre caracteres. Para ello tomará en cuenta el ancho de cada letra, para conseguir una visión armónica del escrito. El ajuste automático tendrá lugar sólo a partir de un determinado tamaño de Fuente cuyo valor se ingresa en el **casillero Punto o Más**.

◆ **Recuadro Muestra:** Refleja el resultado de aplicar todos los formatos anteriores.

<u>Ficha Animación</u> (Ver **Figura 7**)

Desde esta ficha aplicamos al texto efectos especiales, como por ejemplo estrellitas que se muevan sobre el texto, o un borde luminoso que parpadee alrededor del texto. Estos efectos sólo estarán visibles en la pantalla, y no aparecerán impresos. En la *Figura* 7 se muestra el aspecto que tiene la **Ficha Animación**.

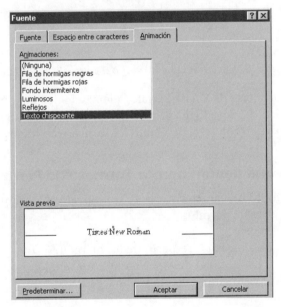

Figura 7. *Aquí podemos hacer que el texto se mueva, brille, etc.*

1.7. ¿Para qué sirve el botón Predeterminar que aparece en las tres fichas anteriores?

Pulsando este botón establecemos que los formatos seleccionados en las tres fichas anteriores queden vigentes para el documento actual y todos los documentos nuevos basados en la plantilla que se está usando. Al cambiar el formato predeterminado, *Word* guardará los nuevos valores en la plantilla y los mismos aparecerán en todos los documentos nuevos que se generen a partir de ese momento.

Formato de fuente 4

2. FORMATO DE PÁRRAFO

2.1. ¿Qué es para Word un párrafo?

Para *Word* un párrafo es cualquier cantidad de texto o líneas en blanco seguido de una marca especial denominada "Marca de Fin de Párrafo".

Una Marca de Fin de Párrafo es un código oculto que ingresamos cuando pulsamos ENTER. Este código indica dónde termina un párrafo y empieza otro. Las Marcas de Fin de Párrafo están representadas por la letra griega Pi(¶) y se muestran haciendo un clic en el botón **Ver /Ocultar Códigos Ocultos**, de la Barra de Herramientas **Estándar**, que tiene el aspecto de la **Figura 8**.

Figura 8. *Hacemos un clic aquí para visualizar los códigos ocultos.*

Los Marcadores de Fin de Párrafo, además de delimitar párrafos, guardan la información del aspecto del párrafo que delimitan. Si los borramos, además de unir un párrafo con otro, perdemos los formatos aplicados a ese párrafo.

2.2. ¿A qué denominamos Formato de Párrafo?

Al conjunto de características de un párrafo. Las siguientes son algunas características de párrafo:

- **Alineación:** La alineación respecto de los márgenes.
- **Interlineado:** La cantidad de espacio entre un renglón y otro.
- **Sangría:** El espacio entre el texto y el margen.

2.3. ¿Cuando modificamos el Formato de Párrafo?

Al igual que ocurre con el Formato de Fuente, la hoja en blanco de *Word* ya tiene incorporado un Formato de Párrafo determinado. Este formato Predeterminado sólo se modifica para adaptarlo a los requisitos de la presentación en la que estamos trabajando. La modificación puede hacerse antes o después de escribir el documento.

2.3.1. Modificar el Formato de Párrafo antes de escribir el documento.

Estas modificaciones generalmente se hacen para unificar el aspecto de todos los párrafos del documento y cuando los valores preestablecidos por

Word no son los adecuados para la presentación. En este caso, antes de empezar a escribir, ubicamos el cursor en la primera línea, primera columna, y elegimos los nuevos atributos de párrafo. Un ejemplo de esto es el siguiente: supongamos que queremos establecer que todos los párrafos del documento tengan una sangría de 1 cm. en la primera línea y que además tengan un espacio doble entre un renglón y el siguiente. En este caso ubicamos el cursor en la primera línea y primera columna y modificamos el Formato de Párrafo Predeterminado. A partir de ese momento, cada vez que pulsemos *ENTER*, *Word* creará la sangría de 1cm y cuando se complete el renglón dejará una línea en blanco antes de empezar a llenar el siguiente.

Si la presentación que vamos a crear no requiere formatos especiales trabajamos directamente con el Formato de Párrafo establecido por *Word*. El mismo tiene, entre otras, las siguientes características: Párrafos sin sangría, alineados a la izquierda y con interlineado simple.

2.3.2. Modificar el Formato de Párrafo después de escribir el documento.

Generalmente se hace para modificar el aspecto de uno o más párrafos, seleccionando el o los párrafos y realizando los cambios necesarios.

2.4. ¿Cómo conocemos el Formato de Párrafo de cada porción del documento?

Existen varios modos de hacerlo, a continuación se desarrolla cada uno de ellos:

2.4.1. Conocer el Formato de Párrafo utilizando la ayuda de Word.

Al igual que para determinar el Formato de la Fuente, hay que ejecutar los comandos **Ayuda / ¿Qué es esto?** Y luego llevar el signo de pregunta hasta el párrafo cuyo formato queremos determinar. Para que el puntero vuelva a la forma original pulsamos la tecla *ESC*.

2.4.2. Conocer el Formato de Párrafo utilizando el Cuadro de Diálogo Formato de Párrafo.

Al igual que para el Formato de Fuente, existe un Cuadro de Diálogo que contiene la descripción del párrafo y desde donde puede modificarse fácilmente el Formato de Párrafo. A continuación se describe el procedimiento para leer los atributos de párrafo en esta ventana:

- ♦ Ubicar el cursor dentro del párrafo cuyo formato queremos conocer.
- ♦ En el menú **Formato** elegir la opción **Párrafo**.
- ♦ En el Cuadro de Diálogo que aparece, seleccionar la ficha Sangría y Espacio, que se muestra en la **Figura 9**.

Formato de fuente **4**

Figura 9. *En esta ventana ingresamos un valor de sangría.*

♦ Leer los atributos de párrafo que figuran allí, por ejemplo, el tipo de alineación, el tipo de sangría, el tipo de interlineado, etc.
♦ Pulsar la ficha **Líneas y Saltos de Página**.
♦ Leer allí los atributos habilitados, que tienen que ver con el tipo de paginación del párrafo, los números de línea, la separación con guiones, etc.

A continuación analizaremos, uno por uno, los principales atributos de párrafo y el modo de modificarlos. Antes es importante destacar lo siguiente:

1) Si ubicamos el cursor en un sólo párrafo, los cambios se harán SOLO EN ESE PARRAFO.
2) Si seleccionamos varios párrafos, los cambios tendrán lugar sólo en los párrafos seleccionados.
3) Si el documento no está escrito y ubicamos el cursor al comienzo de la página, los cambios se realizarán desde la posición del cursor en adelante.

2.5. Sangría de Párrafo

La sangría es el espacio que existe entre los márgenes izquierdo o derecho y el texto. La **Figura 10** muestra un párrafo con sangría izquierda sólo en la segunda línea.

> Lenteja
> Planta leguminosa, cuyas semillas, en forma de disco de medio centímetro de diámetro, son alimenticias y muy nutritivas.

Figura 10. *Así se ve un párrafo con sangría en la 2° línea.*

Existen varios modos de modificar la sangría de párrafo, a continuación analizaremos cada uno de ellos:

2.5.1. Modificar la sangría utilizando los botones **Aumentar Sangría** y **Disminuir Sangría** de la barra de Herramientas **Formato.**

El botón Aumentar Sangría, que se muestra en la *Figura* 11, modifica la sangría de TODO EL PÁRRAFO, y no podemos discriminar una sangría diferente para la primera línea.

Figura 11. Botón Aumentar Sangría.

El botón Disminuir Sangría, que se muestra en la **Figura 12**, trabaja igual que el anterior pero hace lo opuesto.

Figura 12. Este botón se usa para quitar la sangría de un párrafo.

2.5.2. Modificar la sangría utilizando la Regla.

Antes de modificar la sangría utilizando la Regla es importante que tengamos presente lo siguiente:

- Los topes que representan la sangría izquierda se ven como dos flechas enfrentadas. (Ver **Figura 13**).
- La flecha superior indica la sangría de la primera línea del párrafo.
- La flecha inferior indica la sangría del resto del párrafo.
- Ambas flechas pueden moverse independientemente una de otra.
- Si las movemos desde el rectángulo sobre el que reposan modificamos tanto la sangría de primera línea como la del resto del párrafo.
- El tope que representa la sangría derecha está representado por una flecha ascendente ubicada sobre el extremo derecho de la Regla.

Lo primero que tenemos que hacer es verificar que está visible la Regla Horizontal. De no ser así, mostrarla seleccionando, en el menú **Ver**, la opción **Regla**. Una vez visible la regla, ubicamos el cursor en el párrafo cuya sangría queremos modificar, (si son varios párrafos habrá que seleccionarlos) y, manteniendo pulsado el botón izquierdo del *Mouse* simultáneamente con la tecla ALT, arrastramos los triángulos descriptos arriba.

Para modificar SÓLO la sangría de la primera línea hay que mover SÓLO el triángulo superior que se muestra en la *Figura* 13.

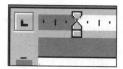

Figura 13. *Parte de la Regla que muestra la sangría de párrafo.*

2.5.3. Modificar la sangría desde la barra de Menú.

En este caso seleccionamos el o los párrafos cuya sangría queremos modificar, o bien ubicamos el cursor al comienzo del documento y, en el menú **Formato**, elegimos **Párrafo**. En la ventana de la **Figura 14**, en el casillero **Sangría** escribimos un valor adecuado para la sangría izquierda y derecha.

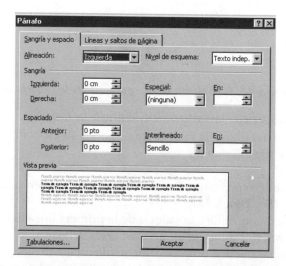

Figura 14. *La sangría de párrafo también puede ingresarse como un número.*

En el casillero **Especial** elegimos la opción **Primera línea**, de entre las siguientes opciones :

♦ **Ninguna**: La primera línea empieza con el resto del párrafo.
♦ **Primera línea**: La primera línea empieza a la derecha del resto del párrafo.
♦ **Francesa**: La primera línea empieza a la izquierda del resto del párrafo.
El casillero **Especial** trabaja junto con el casillero **En**, que se encuentra a la derecha, y que es donde ingresamos el valor de la sangría.

2.6. Alineación de Párrafo

La Alineación de Párrafo es la distancia en la que empieza el texto respecto de la izquierda y derecha de la hoja. Las opciones son las siguientes:

♦ **Alineación Izquierda**: Todas las líneas del párrafo se ubican sobre la sangría izquierda.
♦ **Alineación Derecha**: Todas las líneas del párrafo se ubican sobre la sangría derecha.
♦ **Alineación Centrada**: Todas las líneas del párrafo se ubican justo entre las dos sangrías.
♦ **Alineación Justificada**: Todas las líneas del párrafo van desde la sangría izquierda a la derecha. En la justificación, *Word* agrega o quita espacios entre las palabras para poder ubicar el texto justo a la altura de las sangrías.

2.7. ¿Cómo modificamos la Alineación de un párrafo?

Existen dos modos de hacerlo que a continuación analizaremos:

2.7.1. Modificar la Alineación utilizando los botones de la Barra de Herramientas Formato.

Antes de modificar la Alineación de un párrafo utilizando los botones necesitamos seleccionar el o los párrafos sobre los que se aplicará el cambio. De lo contrario, la modificación sólo tendrá lugar en el párrafo en el que se encuentre el cursor. Una vez establecido el alcance del cambio hacemos un clic sobre el botón **Alinear a la Izquierda**, **Centrado**, **Alinear a la Derecha** o Justificar, dependiendo del tipo de alineación que necesitemos. Estos botones están cerca del extremo derecho de la Barra de Herramientas **Formato** y tienen el aspecto de la **Figura 15**.

Figura 15. *Para centrar texto hacemos un clic en el segundo botón.*

2.7.2. Modificar la Alineación desde la Barra de Menú.

Para modificar la Alineación de Párrafo desde la Barra de Menú procedemos del siguiente modo:

♦ Seleccionamos el o los párrafos cuya alineación queremos modificar.
♦ En el menú **Formato** elegimos **Párrafo**.

Formato de fuente   4

♦ En el Cuadro de Diálogo que aparece elegimos la ficha Sangría y Espacios, que tiene el aspecto de la **Figura 16**.

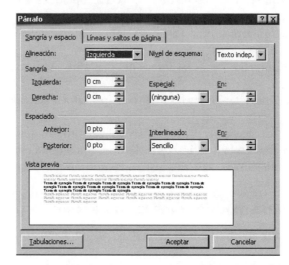

Figura 16. *La alineación de texto también puede hacerse en esta ventana.*

♦ En el casillero **Alineación** seleccionamos alguna de las siguientes opciones y salimos aceptando:
   ♦ Izquierda
   ♦ Centrada
   ♦ Derecha
   ♦ Justificada

2.8. Espacio entre Párrafos e Interlineado.

El **Espacio entre Párrafos** es la separación que existe entre un párrafo y sus vecinos. Este espacio generalmente se da con uno o más *ENTER*. Sin embargo, otra posibilidad es la de establecer, en el Cuadro de Diálogo **Párrafo** del menú **Formato**, una separación uniforme que se aplique automáticamente cuando termine un párrafo y empiece el siguiente. Esto último evita la tediosa tarea de agregar y quitar *"Enters"* para uniformar la separación entre todos los párrafos del documento .

El **Interlineado de Párrafo** es la distancia que existe entre los renglones de un párrafo. Los contratos, testimonios, poderes y otros documentos legales son ejemplos típicos de presentación que llevan interlineado doble. También es común que se pida este formato en los concursos literarios.

Tanto el **Espacio entre Párrafos** como el **Interlineado de Párrafo** se modifican desde el Cuadro de Diálogo **Párrafo** que ya mostramos. Allí existe un casillero denominado **Espacio Anterior** y otro denominado **Espacio Posterior** en donde ingresamos la cantidad de espacio que queremos que exista entre el párrafo seleccionado y sus vecinos. El valor ingresado debe ser positivo y la unidad está siempre dada en puntos.

En el casillero **Interlineado** las opciones son:

◆ **Sencillo**: El espacio entre renglones es igual al tamaño de la letra que se está utilizando.
◆ **1.5 líneas**: El interlineado será una vez y media el interlineado sencillo.
◆ **Doble**: El interlineado será dos veces el interlineado sencillo.
◆ **Mínimo**: El interlineado permitirá acomodar la fuente de mayor tamaño.
◆ **Exacto**: El interlineado quedará fijo. *Word* no podrá ajustarlo si aparecen partes del texto cortadas. Esta opción hace que todas las líneas tengan un interlineado uniforme.
◆ **Múltiple**: Cuando sea necesario, el interlineado aumentará o disminuirá de acuerdo al porcentaje escrito.

2.9. Párrafos y Saltos de Página

Cuando un párrafo se encuentra próximo al fin de una hoja, y no queremos que sea dividido por un Salto de Página, podemos pedirle a *Word* que:

◆ Inserte siempre el Salto de Página antes del párrafo.
◆ Mantenga siempre unidas todas las líneas del párrafo de modo que si el párrafo no entra en la página no lo rompa, sino que lo pase entero a la página siguiente.
◆ Controle que el Salto de Página no le arranque líneas al párrafo. (Control de Viudas y Huérfanas).
Si la continuidad de lectura tiene que mantenerse entre dos párrafos vecinos, además de todo lo anterior podemos pedirle a *Word* que:
◆ Dos párrafos se mantengan siempre unidos y no sean separados por un Salto de Página.

Estas configuraciones pueden establecerse sobre párrafos seleccionados o en todo el escrito (Realizando la configuración antes de empezar a escribir). Esto último es muy útil cuando trabajamos con documentos extensos porque nos ahorra el trabajo de tener que recorrer una y otra vez el documento detectando líneas perdidas o párrafos cortados. Para establecer cualquiera de las configuraciones anteriores utilizamos el Cuadro de Diálogo **Párrafo**, ficha **Líneas y Saltos de Página**, que se muestra en la **Figura 18**. Allí existen los casilleros que se describen a continuación:

◆ Casillero **Control de Viudas:** Evita que la última línea del párrafo se desprenda y pase a la página siguiente.

Formato de fuente **4**

◆ Casillero **Control de Huérfanas:** Impide que la primera línea del párrafo quede en la página anterior, rezagada del resto del párrafo.

◆ Casillero **Conservar líneas juntas:** Este casillero evita que el corte de página ocurra en el medio del párrafo.

◆ Casillero **Conservar con el siguiente:** Es el que usamos para que el Salto de Página no ocurra entre un párrafo y el siguiente.

◆ Casillero **Salto de Página anterior:** Al habilitar este casillero, *Word* inserta el Salto de Página antes del párrafo seleccionado.

Figura 17. *Ingrese a esta ventana para evitar líneas perdidas al comienzo y fin de las hojas.*

2.10. ¿Cómo deshacemos un cambio de formato?

Muchas veces realizamos cambios sobre el Formato de Fuente y de Párrafo y luego nos arrepentimos. Si el cambio de formato fue la última acción realizada, lo que hacemos es hacer un clic en el botón **Deshacer**, que se muestra en la **Figura 18**, o bien presionar simultáneamente CTRL+Z.

Figura 18. *Un clic en este botón nos salva de una "metida de pata".*

Si el cambio de formato no fue la última acción realizada, entonces seleccionamos la porción de texto correspondiente y presionamos simultáneamente CTRL+BARRA ESPACIADORA. El texto seleccionado recuperará el aspecto que tenía antes del cambio.

3. AUTOMATIZAR LA APLICACIÓN DE FORMATOS

En *Word* existe una función que se denomina **Autoformato** y que aplica automáticamente formatos especiales de Fuente y Párrafo al texto de un documento, dependiendo de la función y la jerarquía que ocupa en el documento. Esta función se ejecuta desde el menú **Herramientas** y trabaja así: analiza uno por uno cada párrafo del escrito y determina qué papel juegan los elementos contenidos en él. Es decir, identifica los títulos, los elementos de una lista, el texto normal, etc., y les aplica un formato apropiado para la función y jerarquía que tienen en el párrafo. Una vez culminada la tarea, el documento cambia de aspecto como si el mismo usuario lo hubiese modificado.

Antes de ejecutar la Función **Autoformato** podemos especificar el alcance de los cambios, por ejemplo podemos querer cambios a nivel estilo y no a nivel tabulaciones, etc.

La tabla que se muestra a continuación contiene algunos de los posibles cambios que realiza la Función **Autoformato**.

ELEMENTOS EXISTENTES	SERÁN REEMPLAZADOS POR:
Títulos	Alguno de los 9 estilos de Títulos predeterminados por Word
Listas	Listas numeradas y listas con viñetas.
Comillas normales (¨ y ¨)	Comillas tipográficas("y").
Caracteres de símbolos	Los verdaderos símbolos, por ejemplo ()
Entradas del tipo ¨1ero¨	Por el ordinal 1°.
Entradas de tipo ¨1 / 2¨	Por la fracción $1/_2$.

Cuando ejecutamos la función Autoformato aparece el Cuadro de Diálogo que se muestra en la **Figura 19**.

Figura 19. *Ingresar a esta ventana para embellecer automáticamente el documento.*

Si habilitamos el casillero **Aplicar Autoformato y Revisar cada cambio**, *Word* nos permitirá supervisar los cambios realizados.

El botón **Opciones** abre el Cuadro de Diálogo que se muestra en la **Figura 20** y que es desde donde podemos establecer a qué nivel se realizarán los cambios (ver tabla anterior).

La función Autoformato también puede activarse para que realice los cambios de formato a medida que escribimos (Ver **Figura 20**). Esto tiene algunas ventajas pero muchas veces resulta molesto. Es ventajoso, por ejemplo, cuando queremos que se reemplace automáticamente la expresión ¨1 / 2¨ por la fracción $^1/_2$ tan pronto como la escribamos. Sin embargo, resulta molesto cuando colocamos un número delante de una oración sin intención de realizar una lista numerada, y *Word* coloca otro número en el párrafo siguiente dando formato automático a una lista que en realidad no existe. Para evitar que *Word* haga una lista que no existe hay que pulsar *ENTER* cuando el cursor está delante del número ¨intruso¨. La lista automática desaparecerá y no volverá a aparecer.

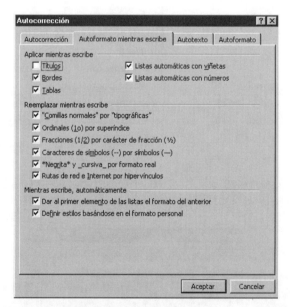

Figura 20. *Esta ventana permite automatizar la aplicación de formatos durante la escritura.*

3.1. Copiar Formatos

Copiar formatos es otro modo práctico y rápido de aplicar formatos de carácter y de párrafo a una porción de texto. Cuando encontramos el formato adecuado para un texto, un título, o un subtítulo, podemos copiarlo sobre otra porción de texto que requiera el mismo formato.

Existen dos modos de hacerlo:

3.1.1. Copiar Formatos utilizando el Mouse y la Barra de Herramientas.

El procedimiento en este caso es el siguiente:

♦ Seleccionamos el texto cuyo formato deseamos copiar.
♦ Hacemos uno o dos clics en el botón **Copiar Formato** si queremos pegar el formato copiado una o más veces, respectivamente. El botón **Copiar Formato** tiene el aspecto de un pincel, como se muestra en la **Figura 21**.

Figura 21. *El pincel se usa para copiar formatos.*

♦ Cuando el puntero toma forma de pincel, lo arrastramos sobre la o las porciones de texto a las que deseamos aplicar el formato copiado.
♦ Pulsamos *ESC* para que el puntero vuelva a su forma original.

3.1.2. Copiar Formatos desde el teclado.

En este caso procedemos así :

♦ Seleccionamos el texto cuyo formato deseamos copiar.
♦ Pulsamos CTRL+ALT+C.
♦ Seleccionamos el texto sobre el cual vamos a aplicar el formato copiado.
♦ Pulsamos CTRL+ALT+V.

3.2. Aplicar Formatos de la Galería de Estilos

Aplicar formatos de la Galería de Estilos es otro modo de mejorar automáticamente el aspecto de una presentación.

Cuando concluimos un documento podemos entrar en la galería de estilos y aplicarle diferentes modelos para evaluar si alguno de los que existen allí mejora la apariencia de nuestro trabajo. A medida que seleccionamos uno a uno los modelos de la galería de estilos vemos el cambio de apariencia en la pantalla. Dependiendo de que el cambio sea conveniente podemos aceptar o no la transformación.

La Galería de Estilos no hace otra cosa que copiar en nuestro documento los estilos de las plantillas existentes en *Word*, por ejemplo Carta elegante, Fax elegante, Memorandum, etc.

La Galería de Estilos se utiliza del siguiente modo:

♦ En el menú **Formato** elegimos **Galería de Estilos**.
♦ Verificamos que aparece el Cuadro de Diálogo que se muestra en la **Figura 22**.

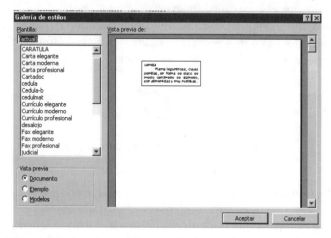

Figura 22. *Aquí se exhiben todos los estilos que podemos elegir.*

♦ Sobre la ventana de la izquierda seleccionamos el estilo a aplicar, por ejemplo **Carta elegante**.
♦ Sobre la derecha observamos la apariencia que toma la presentación.
♦ Pulsamos **Aceptar** si nos gusta el cambio.

3.3. Estilos Predeterminados

Existe otro modo de automatizar la aplicación de Formatos de Fuente y Párrafo, y es utilizando Estilos Predeterminados .

Cuando iniciamos un documento, *Word* pone a nuestra disposición una lista de estilos que podemos usar para dar formato a los elementos del documento. Existe un estilo para el texto independiente, otro para los encabezados y notas al pie, y varios para los títulos. Cada estilo se identifica con un nombre, y cuando lo aplicamos sobre un párrafo, modifica el tipo, tamaño, color de la fuente, así como también la alineación y separación de los párrafos.

Word cuenta con docenas de estilos predeterminados, 9 de los cuales se utilizan para títulos.

Un estilo se distingue de otro por el Formato de fuente y párrafo que aplica al texto seleccionado. El estilo Normal, por ejemplo, aplica al texto un formato de letra pequeña y legible mientras que el estilo Títulos 1 convierte el texto seleccionado en un verdadero título principal. La **Figura 23** muestra la lista de Estilos Predeterminados con que cuenta *Word*.

Esta lista está "escondida" en el casillero **Estilos**, de la barra de herramientas **Formato**, como se muestra en la **Figura 24**. Los estilos que sólo modifican el Formato de Carácter aparecen escritos con letra normal mientras que, los que modifican tanto el Formato de Carácter como el de Párrafo, aparecen resaltados.

Figura 23. *Elegir aquí un estilo para que se aplique automáticamente sobre el texto seleccionado o sobre el texto en el que se encuentra el cursor.*

3.3.1. ¿Para qué usamos Estilos Predeterminados?

Los Estilos Predeterminados no sólo se usan para cambiar rápidamente el aspecto de los títulos de un documento, sino también para establecer un Esquema de Jerarquías. Aplicar Estilos Predeterminados garantiza que todos los títulos con la misma jerarquía tendrán el mismo aspecto. Por ejemplo, todos los títulos principales, tendrán el aspecto del Estilo Título 1, mientras que todos los subtítulos se verán como el estilo Título 2, etc.

Un Esquema de Jerarquías es el que le dice a *Word* quien es quien en el documento, qué títulos son más importantes que otros, etc. Esto significa que para que *Word* entienda que un título es más importante que otro no alcanza con que tenga diferente letra o esté subrayado, sino que debe existir un verdadero Esquema de Jerarquías dado por los Estilos Predeterminados. Los Esquemas de Jerarquías tienen diversos usos, como por ejemplo la confección automática de Tablas de Contenido y Autoresúmenes y el uso de Presentación Esquema.

3.3.2. ¿Cómo aplicamos un Estilo Predeterminado a un título del documento?

Para aplicar el estilo Título 1 al título principal del documento procedemos así:

- Seleccionamos el título principal.
- Hacemos un clic sobre la flecha del casillero **Estilos**, representado en la **Figura 24.**

Figura 24. *Un clic en un estilo y el cambio de aspecto del texto es inmediato.*

- De la lista seleccionamos "Título 1" (el título cambiará inmediatamente.)

Si en la lista anterior no figuran todos los estilos hay que volver a hacer un clic, pero esta vez presionando *SHIFT* .

3.3.3. ¿Qué es el Area de Estilos?

El Area de Estilos es una franja que puede aparecer a la izquierda de la pantalla mostrándonos el nombre del Estilo Predeterminado asignado a cada línea del texto. Para que aparezca esta franja:

- Seleccionamos, en el menú **Herramientas**, el comando **Opciones**.
- En el Cuadro de Diálogo que aparece elegimos la ficha **Ver**, que muestra la **Figura 25**.
- En el casillero **Area de Estilo** escribimos un valor para el ancho del área, por ejemplo 1 cm.
- Hacemos un clic en **Aceptar**.
- Verificamos que el **Area de Estilo** ahora aparece en pantalla.

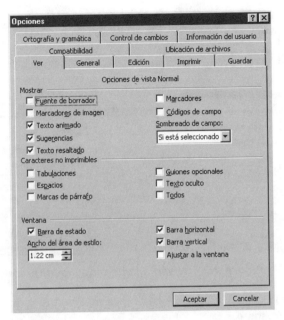

Figura 25. *Esta ventana se usa para configurar el Area de Estilo.*

3.3.4. ¿Podemos modificar los Estilos Predeterminados?

Sí, podemos hacerlo y puede ser de gran utilidad. Supongamos que utilizamos Estilos Predeterminados para dar formato a los títulos de un documento y, al imprimir, no nos gusta como quedaron los subtítulos. En este caso, no volvemos al documento y cambiamos uno por uno todos los subtítulos, sino que directamente modificamos el Estilo Predeterminado Título 2. Al pulsar el botón **Aplicar**, los cambios tendrán lugar automáticamente sobre todos los títulos que tengan ese formato.

Para modificar un Estilo Predeterminado procedemos así:

- En el menú **Formato** seleccionamos **Estilo**.
- En el Cuadro de Diálogo que se muestra en la **Figura 26** elegimos el estilo a modificar. En el ejemplo anterior seleccionamos Título 2.

Formato de fuente

4

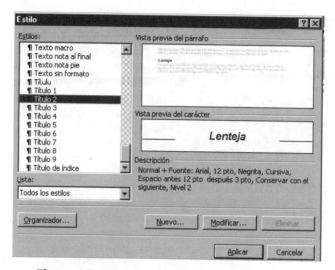

Figura 26. *Esta ventana permite modificar los estilos.*

◆ Pulsamos el botón Modificar, y en la lista de comandos que aparece elegimos la opción **Formato**.

◆ En la siguiente lista elegimos **Fuente,** como se muestra a continuación.

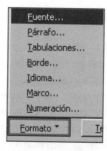

Figura 27. *Elegir Fuente para modificar el aspecto de la letra de un estilo.*

◆ En el Cuadro de Diálogo correspondiente determinamos los nuevos atributos para el estilo elegido y hacemos un clic en **Aceptar**. Si queremos que el cambio se transfiera automáticamente al documento activo, salimos del Cuadro de Diálogo **Estilos** pulsando el botón **Aplicar.**

3.3.5. ¿Podemos crear nuestros propios estilos?

Sí, aunque siempre tenemos que basarnos en algún estilo existente. El procedimiento para crear nuevos estilos es el siguiente:

◆ En el menú **Formato** elegimos **Estilo**.
◆ Verificamos que aparece el Cuadro de Diálogo de la **Figura 28**.

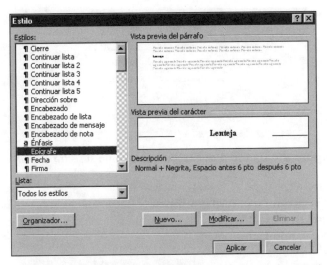

Figura 28. *Este es el primer paso para crear un estilo.*

◆ Hacemos un clic en el botón **Nuevo**.
◆ En el casillero **Basado en** seleccionamos el estilo modelo.
◆ En el casillero **Nivel de esquema** asignamos la jerarquía que tendrá ese estilo, por ejemplo Nivel 1, 2 etc. Esto es importante para poder crear Esquemas de Jerarquías con el nuevo estilo.
◆ Hacemos un clic en el botón **Formato**.
◆ En la lista de opciones que aparece elegimos, por turno, **Fuente** y **Párrafo,** y en los Cuadros de Diálogo correspondientes determinamos las características para el nuevo estilo y salimos aceptando.

3.3.6. ¿Podemos reemplazar automáticamente un Estilo Predeterminado por otro?

Podemos hacer una búsqueda y reemplazo de Estilos Predeterminados como si se tratara de palabras. Un ejemplo de ésto es el siguiente: supongamos que terminamos una presentación y nos damos cuenta de que los Títulos 2 deberían haber sido Títulos 1. Lo que hacemos en ese caso es un reemplazo automático, como se indica a continuación:

◆ En el menú **Edición** elegimos **Reemplazar**.
◆ En el Cuadro que se muestra en la **Figura 29** hacemos un clic en el botón **Más**.

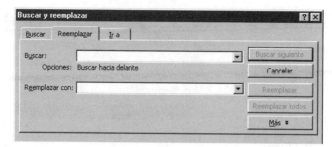

Figura 29. *Un estilo puede buscarse como si se tratara de una palabra.*

♦ Ubicar el cursor en el casillero **Buscar** y hacer un clic sobre el botón **Formato**.
♦ En la lista de formatos que aparece y que se muestra en la **Figura 30** seleccionar el comando **Estilo**.

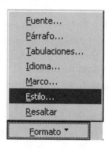

Figura 30. *Así se buscan y reemplazan estilos.*

♦ En la lista que aparece y que mostramos en la **Figura 31** elegimos Título 2.

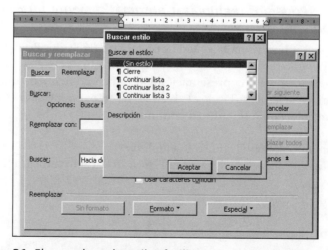

Figura 31. *El reemplazo de estilos facilita un cambio global en el aspecto del documento.*

- Pulsamos *ENTER* y verificamos que Título 2 aparece escrito en el casillero **Buscar**.
- En el casillero **Reemplazar** hacemos un clic nuevamente en el botón **Formato** y, en la lista que aparece, elegimos **Estilo** y luego Título 1.
- Pulsamos *ENTER*.

Cuando *Word* encuentra el primer formato buscado podemos:

- Aprobar el reemplazo pulsando el botón **Reemplazar**.
- No aprobar el reemplazo pulsando el botón **Buscar siguiente**.
- Aprobar ese y todo otro reemplazo futuro pulsando el botón **Reemplazar todo.**

4. MÁS SOBRE FUENTES.

4.1. ¿Qué tipos de fuentes existen en Word?

Todas las fuentes que existen en *Word* están divididas en tres conjuntos:
- Fuentes Ajustables.
- Fuentes de impresora.
- Fuentes de pantalla.

4.2. Fuentes ajustables

Las fuentes ajustables son aquellas que pueden cambiar fácilmente de tamaño sin alterar sus proporciones. Se trata de la mayoría de las fuentes instaladas en el entorno *WINDOWS*. Un ejemplo típico de fuentes ajustables son las fuentes *TRUE TYPE*.

Las Fuentes Ajustables son detectadas por la impresora como verdaderos dibujos y se imprimen exactamente igual a lo que aparece en pantalla.

El usuario puede instalar la cantidad y variedad de fuentes ajustables de acuerdo a sus necesidades. *Windows* posee una carpeta llamada *FONTS* donde guarda todas las fuentes instaladas y que serán utilizadas por las aplicaciones que funcionan bajo su entorno.

Otra característica de las Fuentes Ajustables *TRUE TYPE* es que pueden "incrustarse" en el documento. Al incrustar una fuente en un documento permitimos que otros usuarios puedan verla, modificarla e imprimirla aún cuando no las tengan instaladas en su sistema.

Los archivos que contienen fuentes True Type están representados por el símbolo que se muestra en la *Figura* **32**, y su nombre contiene la extensión TTF.

Formato de fuente 4

Figura 32. *Así se representan las fuentes True Type.*

4.2.1. ¿Cómo incrustamos fuentes TrueType?

Para incrustar Fuentes *True Type* en un documento procedemos así :

♦ En el menú **Herramientas** elegimos **Opciones**.
♦ En el Cuadro de Diálogo que aparece elegimos la ficha **Guardar** que tiene el aspecto de la **Figura 33**.

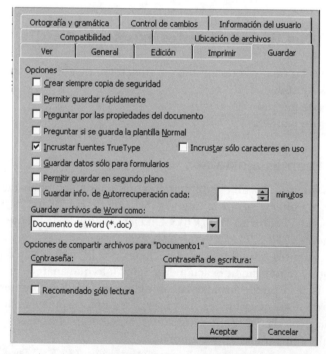

Figura 33. *Al incrustar fuentes existe una garantía de que serán tomadas en cualquier sistema que abra el documento.*

♦ Habilitamos el casillero **Incrustar fuentes *TrueType***.
♦ Habilitamos el casillero **Incrustar sólo los caracteres en uso** para reducir el tamaño del archivo, dado que esta opción incrusta sólo los estilos de fuente que se utilizan en el documento.

4.3. Fuentes de Pantalla.

Se trata de fuentes que no son ajustables. Esto significa que para trabajar con varios tamaños debemos tenerlos instalados. Para que una fuente de Pantalla pueda ser impresa, el sistema debe contar con la correspondiente Fuente de impresora.

Los archivos que contienen Fuentes de Pantalla están precedidos por el símbolo que se muestra en la **Figura 34**, y su extensión es Fon.

Figura 34. Símbolo con el que se representan las Fuentes de Pantalla.

4.4. Fuentes de Impresora

Las Fuentes de Impresora, al igual que las Fuentes de Pantalla, son fuentes no ajustables que se encuentran instaladas en los *chips* de la impresora. Sin embargo, también podemos instalar temporalmente Fuentes en la impresora. Las Fuentes de Impresora sólo pueden verse en pantalla si el programa instalador de la impresora colocó en el sistema la correspondiente Fuente de pantalla en los tamaños adecuados. De este modo, si todas las Fuentes de Pantalla que utilizamos para confeccionar un trabajo poseen su correspondiente Fuente de Impresora, la presentación del documento en pantalla será similar a la del documento impreso.

4.5. ¿Qué pasa cuando intentamos abrir un archivo con un sistema que no tiene instalada alguna de las fuentes que fueron incluidas en ese archivo?

Cuando ésto ocurre *Word* sustituye automáticamente la fuente que no tiene instalada por otra similar. Para conocer la sustitución:

♦ Elegimos, en el menú **Herramientas**, el comando **Opciones**.
♦ En el Cuadro de Diálogo que aparece hacemos un clic en la ficha Compatibilidad, que tiene el aspecto de la **Figura 35**.

Formato de fuente

4

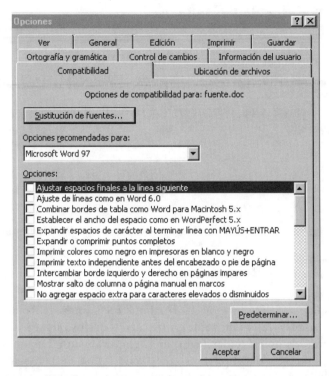

Figura 35. *Primer paso para llegar a saber la sustitución de fuentes que tuvo lugar.*

◆ Pulsamos el botón **Sustitución de Fuentes**.

◆ Verificamos que aparezca el Cuadro de Diálogo que se muestra en la **Figura 36**.

◆ En el casillero **Fuente sustitutoria** podemos ver la sustitución realizada automáticamente. Además, podemos seleccionar otra sustitución distinta a la elegida por *Word*.

◆ El botón **Convertir Permanentemente** establece la sustitución como algo definitivo.

Figura 36. *Esta ventana muestra la sustitución de Fuente que tuvo lugar .*

PROBLEMAS

1. Mercedes selecciona, en el casillero **Fuente**, de la barra **Formato**, el tipo Arial para modificar el aspecto del título de su presentación, pero la letra sigue igual.

2. Juan quiere copiar la letra que utiliza su hermana en sus cartas pero no sabe cómo hacerlo.

3. Paula no sabe cómo hacer para que los caracteres no estén tan amontonados y para que quede una línea en blanco entre un renglón y otro.

4. Lorena no sabe cómo eliminar la sangría de la primera línea de un párrafo. Intentó con el botón **Disminuir Sangría** pero no pasa nada.

5. Marina quiere centrar los títulos de su trabajo y no sabe cómo hacerlo.

6. Julio escribe un número y cuando pulsa *ENTER*, *Word* escribe en el siguiente párrafo el número consecutivo. Cuando quiere borrar el número intruso no puede.

7. Silvia terminó de escribir un documento de 50 páginas. Cuando lo imprime se da cuenta de que algunos subtítulos quedaron distintos al resto.

8. Ana asigna a todos los títulos de su documento el estilo Título 2 . Cuando termina, se da cuenta de que le hubiese convenido que todos tuvieran el formato Título 1. Como piensa que será mucho trabajo modificar todo de nuevo lo deja así.

9. Luis no sabe cómo evitar que un Salto de Página parta en dos un párrafo que está al final de la tercera página.

10. Carlos se pregunta cuál es el modo más directo para que todos los títulos de su documento tengan el mismo aspecto

SOLUCIONES

1. Mercedes tiene que seleccionar el texto antes de modificar los valores en la barra de herramientas **Formato**.

2. Juan tiene que:
   ♦ Abrir simultáneamente su carta y la de su hermana.
   ♦ Seleccionar una porción de texto de la carta de su hermana.
   ♦ Pulsar el botón **Copiar formato**, que tiene forma de pincel.
   ♦ Pulsar CTRL+F6 para pasar a su carta.
   ♦ Pintar con el pincel la porción del texto a la que le quiere aplicar el formato copiado.

3. Paula tiene que modificar el **Espacio Entre Caracteres** y el **Interlineado**. Esto se hace así:
   ♦ Seleccionar todo el documento pulsando CTRL+E o bien eligiendo **Seleccionar Todo** en el menú Edición.
   ♦ En el menú **Formato** elegir **Fuente**.
   ♦ En el Cuadro de Diálogo que aparece seleccionar la ficha **Espacio entre Caracteres.**

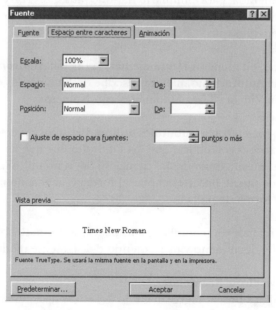

Figura 37. En esta ventana determinamos la distancia entre los caracteres.

Formato de fuente 4

♦ En el casillero **Espacio** seleccionar la opción **Expandido** y salir aceptando.

♦ El interlineado se modifica desde la ventana **Párrafo**, menú **Formato**, casillero **Interlineado.**

4. Lorena tiene que verificar que la Regla horizontal está visible, de no ser así mostrarla desde el menú **Ver.** Ubicar el cursor en la línea cuya sangría quiere eliminar e identificar los topes de sangría (el triángulo superior representa la sangría de la primera línea). Arrastrar el triángulo superior hasta que se encuentre con el triángulo inferior.

5. Mariana debe ubicar el cursor en el renglón que contiene el título a centrar y pulsar el botón **Centrar** de la barra de herramientas **Formato**, que tiene el siguiente aspecto.

Figura 38. *Un clic aquí y el texto quedará centrado.*

6. El número ¨intruso¨ aparece porque *Word* interpreta que Julio quiere crear una lista numerada. Para eliminarlo hay que pulsar *ENTER* cuando el cursor se encuentra delante del número ¨intruso¨. Para eliminar definitivamente este problema tenemos que :

♦ Seleccionar, en el menú **Herramientas**, la opción **Autocorrección**.

♦ En la ficha **Autoformato mientras escribe** deshabilitar los casilleros **Lista Automática con Viñeta** y **Lista Automática con Números**.

7. Si Silvia dió formato a los subtítulos utilizando Estilos Predeterminados, lo que tiene que hacer es corroborar que los subtítulos que quedaron distintos tienen realmente el mismo estilo de los demás. Si Silvia no utilizó Estilos Predeterminados, lo que puede hacer es copiar el formato adecuado utilizando la herramienta con forma de pincel.

8. Ana puede realizar un reemplazo automático de formato ubicando el cursor al comienzo del documento y procediendo del siguiente modo:

♦ En **Edición** elegir **Reemplazar**.

♦ En el casillero **Buscar** ingresar Título 2. Esto se hace utilizando el botón **Más** y luego el botón **Estilo**.

♦ En el casillero **Reemplazar con** ingresar Título 1. Esto se hace utilizando el botón **Más** y luego el botón **Estilo**.

♦ Hacer un clic en el botón **Reemplazar todo**.

9. Luis puede seleccionar el párrafo y configurarlo para que Word inserte el Salto de Página antes. Esto se hace eligiendo, en el menú **Formato**, el comando **Párrafo**. En el Cuadro de Diálogo que aparece y que se muestra en la **Figura 39** (ficha **Línea y Saltos de Página**), habilitamos el casillero **Salto de Página anterior.** El Salto de Página tendrá lugar siempre antes del párrafo seleccionado.

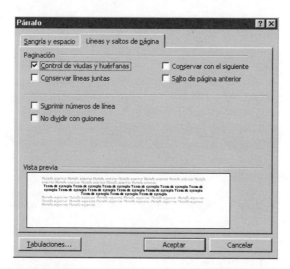

Figura 39. *Aquí se configura la posición de los Saltos de Página.*

10. Los más directo es aplicarle a cada uno alguno de los Estilos Predeterminados de *Word*. Esto se hace ubicando el cursor en la línea en la que se encuentra el título y eligiendo, en el casillero **Estilo** de la barra **Formato**, alguno de los nueve estilos de título que figuran allí, por ejemplo, Título 1, Título 2, etc.

Formato de fuente

4

PRESENTACIONES

5

Tiempo de lectura y práctica:
1 hora y 30 minutos

Objetivo de la lección

■ Aprender a trabajar con distintos tipos de Presentaciones o Vistas de un documento.

1. INTRODUCCIÓN

1.1. ¿A qué denominamos Presentación o Vista de un documento?

La **Presentación o Vista de un documento** es el modo de ver un documento en pantalla. *Word* dispone de ocho maneras de presentar documentos en pantalla, cada una de las cuales permite concentrarse en distintos aspectos del trabajo. Existen presentaciones que muestran una o más páginas pequeñas, recortadas sobre un fondo oscuro. Este tipo de presentaciones se usan para tareas que requieren una vista global de la hoja, como por ejemplo para trasladar un dibujo de una parte de la página a otra.

También hay otras presentaciones en las que sólo vemos el texto en primer plano, muy legible, y desaparecen los márgenes, los bordes y el entorno. Este tipo de presentaciones se utilizan para ingresar y editar texto.

1.2. ¿Cuáles son las ocho presentaciones que existen?

Los ocho modos de ver un documento en pantalla son los siguientes:

♦ Presentación Normal.
♦ Presentación Diseño de Pantalla.
♦ Presentación Mapa de Documento.
♦ Presentación Diseño de Página.
♦ Presentación Preliminar.
♦ Presentación Esquema.
♦ Presentación Documento Maestro.
♦ Presentación Pantalla Completa.

1.3. ¿Para qué existen todas estas presentaciones?

Estas presentaciones existen para que el usuario aproveche los recursos del programa y se sienta cómodo en cada una de las tareas que está realizando. Trabajar utilizando diferentes presentaciones significa saltar constantemente de un tipo de pantalla a otra, aprovechando el cambio de aspecto que se produce en cada salto. Esto significa que en *Word* la visión de lo que tencmos en pantalla nunca es estática sino que varía mostrando u ocultando ciertos elementos, agrandando y achicando otros o bien cambiando completamente la óptica de lo que teníamos antes.

El pasaje de una pantalla a otra no se produce sólo: nosotros como usuarios lo provocamos a medida que necesitemos descubrir u ocultar diferentes elementos relacionados con el trabajo que estamos realizando.

1.4. ¿Cómo accedemos a cada una de las ocho presentaciones con que cuenta Word?

Para cambiar de una presentación a otra hacemos un clic en el menú **Ver**, y allí elegimos la presentación que queremos. La **Figura 1** muestra el menú **Ver.**

Figura 1. *En este menú se encuentran 6 de los 7 modos de ver un documento en pantalla.*

También podemos utilizar los botones situados en el extremo izquierdo de la Barra de Desplazamiento Horizontal. Desde estos botones accedemos a Presentación Normal, Diseño de Pantalla, Diseño de Página y Esquema. En la **Figura 2** se muestra el aspecto que tienen los botones de la barra de Desplazamiento Horizontal.

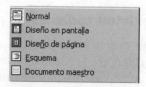

Figura 2. *Estos botones se usan para variar el aspecto de la pantalla.*

2. PRESENTACIÓN NORMAL

La presentación **Normal** es la presentación con la que se muestra una hoja en blanco cuando ingresamos a *Word*. Es decir, es la Presentación elegida por *Word* para mostrarnos un documento nuevo.

Esta presentación se utiliza para escribir y editar texto. A continuación describimos las características más importantes de la presentación **Normal**:

2.1.1. Característica 1:

No se ve la ¨verdadera¨ hoja, sino un área blanca en donde escribir. Como no se ven los bordes de la hoja, el comienzo y fin de la misma están representados por una línea de puntos, como se muestra en la **Figura 3**.

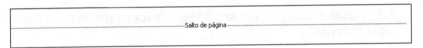

Figura 3. Salto de Página Manual visto en Presentación Normal

2.1.2. Característica 2:

El tamaño de letra que se ve en pantalla es el tamaño real de la fuente. Esto significa que si escribimos un documento con una fuente muy pequeña tendremos dificultad para la lectura por pantalla. En estos casos lo que conviene hacer es aumentar la imagen utilizando el zoom que se muestra en la **Figura 4**.

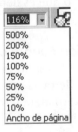

Figura 4. Zoom para ampliar o achicar la imagen.

2.1.3. Característica 3:

Cuando trabajamos con valores de *zoom* mayores de 100% puede pasar que el ancho del documento sobrepase el ancho de la pantalla y una porción de los párrafos se oculte sobre el lateral derecho. Si esto ocurre elegimos, en el casillero *Zoom* la opción **Ancho de página**, para poder ver las líneas del comienzo al final.

2.1.4. Característica 4:

No podemos ver ciertos elementos, como por ejemplo las columnas Estilo Periódico, los objetos y los dibujos. Si hacemos un dibujo y luego pasamos a Presentación Normal, el dibujo desaparece por completo y sólo volvemos a verlo si pasamos a otra presentación, como por ejemplo Preliminar.

2.1.5. Característica 5:

En presentación Normal no se ve la regla Vertical.

2.2. ¿Para qué usamos Presentación Normal?

Esta Presentación se usa para escribir y corregir texto.

2.3. ¿Qué trabajos no conviene hacer utilizando Presentación Normal?

Utilizando Presentación Normal no podemos hacer cambios en los que necesitemos ver toda la hoja. Por ejemplo, no podemos mover objetos de un lugar a otro de la página, o evaluar si una imagen o una tabla están o no centradas, ya que al no ver los bordes de la página perdemos los referentes.

2.4. ¿Cómo aceleramos el procesamiento de texto en Presentación Normal?

Cuando trabajamos en presentación Normal a veces encontramos que el texto demora en aparecer, o que es demasiado lenta la escritura. Para ganar velocidad podemos:

2.4.1. Habilitar la función Fuente de Borrador

Esta función obliga a que la escritura se lleve a cabo con letra sencilla, de tipo borrador. Este tipo de letra es más fácil de mostrar en pantalla y oculta de forma temporaria a la verdadera letra.

La escritura con fuente tipo borrador acelera el armado de la pantalla, acelerando también el procesamiento de la escritura.

Para habilitar la función Fuente Borrador seguimos las siguientes instrucciones:

♦ Verificamos que estamos en Presentación Normal.
♦ En el menú **Herramientas** seleccionamos **Opciones**, y en el Cuadro de Diálogo que aparece, elegimos la ficha **Ver**, como se muestra en la **Figura 5**.

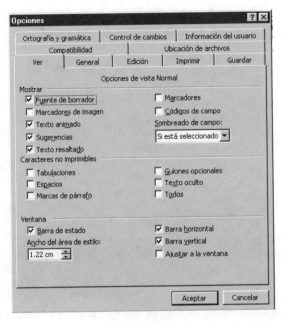

Figura 5. *Elija la fuente de tipo borrador para acelerar el procesamiento de texto.*

◆ Habilitamos el casillero **Fuente de Borrador**.
◆ Pulsamos **Aceptar**.

2.4.2. Deshabilitar la función *Paginación Automática*.

También podemos aumentar la velocidad de procesamiento de texto deshabilitando la función **Paginación Automática**. La Paginación Automática es la inserción de saltos de página que realiza *Word* automáticamente cuando detecta que el texto no entra en la página. Es un reordenamiento automático que tiene lugar cuando el usuario detiene el ingreso de caracteres, y lleva algunos segundos durante los cuales el teclado queda bloqueado. Para deshabilitar la opción **Paginación Automática** procedemos así:

◆ Verificamos que estamos en presentación **Normal**.
◆ En el menú **Herramientas** elegimos **Opciones**.
◆ Verificamos que aparece el Cuadro de Diálogo que se muestra en la **Figura 6**.

Presentaciones 5

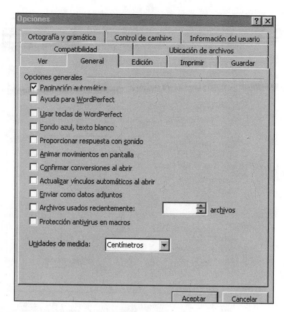

Figura 6. *Deshabilitar la Paginación Automática es otro modo de acelerar el procesamiento de texto.*

◆ En la ficha **General** deshabilitamos el casillero **Paginación Automática.**
Una vez deshabilitada esta opción no se llevará a cabo la Paginación Automática, sin embargo esto no significa que no ocurra, ya que si pasamos a otra Presentación veremos cómo se insertan automáticamente todos los saltos de página pendientes.

3. PRESENTACIÓN DISEÑO DE PANTALLA.

La Presentación Diseño de Pantalla aparece por primera vez en esta versión de *Word*. Es una presentación pensada para optimizar la lectura por pantalla, por lo que aquí, todos los documentos aparecen bien legibles independientemente del tipo de letra que tengan. Esto quiere decir que en Presentación Diseño de Pantalla, la escritura aparece agrandada aún cuando el usuario haya elegido una fuente muy pequeña. Por supuesto, el cambio de letra sólo existe en la pantalla, ya que cuando imprimimos, la letra tendrá el tamaño real elegido por el usuario. En el menú **Herramienta/Opciones**, en la ficha **Ver,** existe un casillero desde donde podemos configurar el tamaño de fuente a partir del cual *Word* optimiza la lectura. Para que se habilite esta opción es necesario estar en Presentación Diseño de Pantalla. Por ejemplo, podemos pedirle a *Word* que agrande la letra de todos los documentos escritos con una fuente igual o menor a 8 ptos. A continuación, se detallan las características de esta Presentación:

3.1.1. Característica 1:

Todos los documentos aparecen escritos con letra grande y legible, independientemente del tamaño real de fuente utilizado. Esto significa que, a diferencia de lo que ocurre en Presentación Normal, si elegimos un tamaño pequeño de fuente, igual la veremos grande en Presentación Diseño de Pantalla.

3.1.2. Característica 2:

En Presentación Diseño de Pantalla nunca existe texto oculto sobre el lateral derecho como ocurre en presentación Normal. Esto significa que el zoom se adapta automáticamente para mostrarnos las líneas de principio a fin.

3.1.3. Característica 3:

La Paginación Automática está siempre deshabilitada, de modo que la velocidad aumenta sola, sin tener que hacer ningún cambio.

3.1.4. Característica 4:

No aparece ninguna de las dos reglas. Como se trata de una presentación que sólo sirve para lectura, se optimiza el espacio ocultando todas las herramientas que no van a usarse.

3.1.5. Característica 5:

En esta presentación podemos configurar el fondo de la pantalla para mejorar la lectura.

3.2. ¿Cómo configuramos el Aspecto del Fondo?

Para configurar el aspecto del fondo en Presentación Diseño de Pantalla procedemos así:
- En el menú **Formato** elegimos **Fondo**.
- Verificamos que aparece el Muestrario de la **Figura 7**.

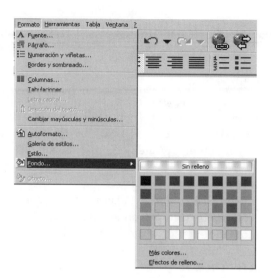

Figura 7. *Muestrario de fondos para Presentación Diseño de Pantalla.*

♦   Hacemos un clic en algún color.

Si el color deseado no se encuentra en el Muestrario hay que elegir **Más colores** y buscarlo en la Paleta Estándar, o bien en la Paleta Personalizado que se muestra en la **Figura 8**.

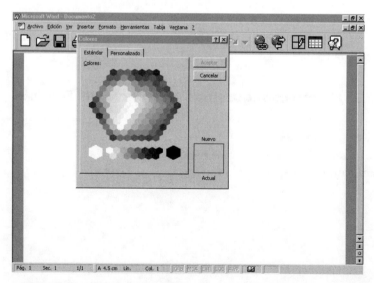

Figura 8. *Paleta personalizada para elegir otros colores de fondo.*

4. PRESENTACIÓN MAPA DE DOCUMENTO.

La Presentación Mapa de Documento trabaja generalmente en combinación con Diseño de Pantalla o con Presentación Normal. En Mapa de Documento la pantalla aparece dividida en dos, a la izquierda se leen sólo los títulos del documento y a la derecha, además de los títulos, aparece el texto común. En la pantalla izquierda los títulos están precedidos de un signo ¨+¨ ó ¨-¨. El primero indica que existe títulos de menor jerarquía o texto común debajo de ese título, mientras que el signo menos indica que no hay títulos de menor jerarquía o texto común debajo de dicho título. En la **Figura 9** se muestra el aspecto que tiene el documento en Presentación Mapa de Documento.

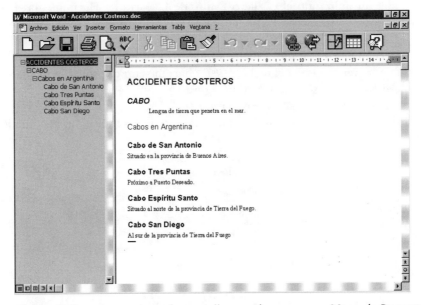

Figura 9. *Aspecto que toma la pantalla cuando pasamos a Mapa de Documento.*

Para entrar y salir de esta presentación hay que hacer un clic en el botón con forma de Lupa de la barra **Estándar.** En la barra **Estándar** existen dos botones con forma de lupa, el primero empezando de la izquierda abre Presentación Preliminar, que es otra de las ocho Presentaciones con que cuenta *Word* y que veremos más adelante. El segundo es el que nos lleva a Presentación Mapa de Documento.

La presentación o vista Mapa de Documento se usa para desplazarse a lo largo del documento sin recorrerlo línea por línea. Dado que en la mitad izquierda figuran los títulos y subtítulos de la presentación, si queremos saltar a un punto determinado, hacemos un clic en el título más cercano a ese punto y el cursor se ubicará automáticamente allí. Luego, utilizando la ventana de la derecha podremos llevar el cursor línea por línea hasta el lugar exacto.

A partir de ese momento tenemos la opción de volver a Presentación Normal o Diseño de Pantalla haciendo un clic en el botón con forma del lupa como se indicó antes, o permanecer en Presentación Mapa de Documento realizando correcciones puntuales y saltando de un punto a otro del documento.

Para que los títulos y subtítulos aparezcan en la ventana izquierda tienen que tener alguno de los 9 Estilos Predeterminados de *Word* para títulos. Esto significa que para que *Word* entienda cuales son los títulos del documento y los muestre en la pantalla izquierda no es suficiente que estén escritos con una letra diferente al resto o que estén subrayados, sino que debe existir un verdadero Esquema de Jerarquías. Este Esquema de Jerarquías se crea automáticamente cuando aplicamos a cada título el estilo que le corresponde. Estos estilos se aplican utilizando el casillero **Estilo**, de la Barra de Herramientas **Formato**, que se muestra en la Figura 10. El procedimiento es el siguiente:

♦ Seleccionamos el título principal del documento.
♦ Mantenemos pulsada la tecla *SHIFT* y hacemos un clic sobre la flecha del casillero **Estilo** que se muestra en la **Figura 10**
♦ En la lista elegimos la opción ¨Título 1¨.
♦ Procedemos de modo similar con cada uno de los títulos del documento.

Figura 10. *Este casillero se usa para aplicar estilos al documento.*

4.1. Ideas para utilizar Presentación Mapa de Documento

Utilizando esta Presentación podemos:

♦ Desplazarnos fácilmente de un punto a otro del documento haciendo un clic sobre el título más cercano a ese punto. Esto evita el tener que recorrer todo el documento para desplazarnos varias páginas adelante o atrás.

♦ Abarcar todos los títulos de un documento en una sola pantalla para poder comparar su contenido, formato, etc.
♦ Ocultar o mostrar títulos por niveles. Por ejemplo, podemos mostrar sólo los Títulos 2 y no los de tercer y cuarto nivel. Esto es útil para evaluar la importancia de cada título, si existe una coherencia en las jerarquías, etc.

Para mostrar títulos por nivel:

♦ Ubicamos el puntero sobre la pantalla izquierda.
♦ Pulsamos el botón derecho del *Mouse*.
♦ En el menú de la Figura 11 seleccionamos el nivel de título que queremos ver. Por ejemplo, si elegimos Mostrar Título 2 sólo veremos los títulos de nivel 1 y 2.

Figura 11. *Este menú nos permite determinar el nivel al que queremos trabajar.*

4.2. ¿Cómo configuramos Mapa de Documento?

Configurar esta presentación significa decidir sobre el tipo, estilo y tamaño de fuente con que se mostrará el texto en pantalla, así como también el color y tipo de fondo para el título activo.

La configuración se lleva a cabo del siguiente modo:

♦ Ingresamos en presentación Mapa de Documento y comprobamos que la pantalla izquierda contiene algún título.
♦ En el menú **Formato** elegimos **Estilo**.
♦ En la lista de estilos que aparece, elegimos la opción **Mapa de Documento** y pulsamos el botón **Modificar** y luego **Formato** seguido de **Fuente**.

♦ En el Cuadro de Diálogo que aparece y que vemos en la **Figura 12** elegimos los nuevos atributos de fuente.

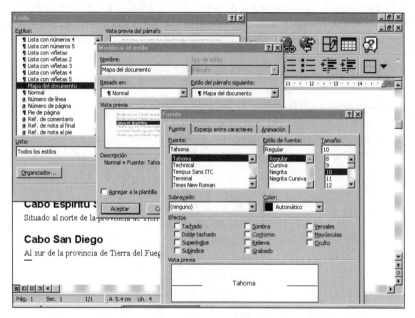

Figura 12. *Ventana que usamos para configurar la presentación Mapa de Documento.*

Para determinar el color de fondo de cada uno de los títulos hay que repetir los dos primeros pasos anteriores y luego:

♦ Hacer un clic en los botones **Formato** y luego **Bordes y Sombreados**.
♦ En el Cuadro de Diálogo de la Figura 13 elegir el marco y relleno adecuados para los títulos de la presentación. Es decir, aquí elegimos el color y tipo de relleno con el que aparecerán enmarcados los títulos en la ventana izquierda de Presentación Mapa de Documento.

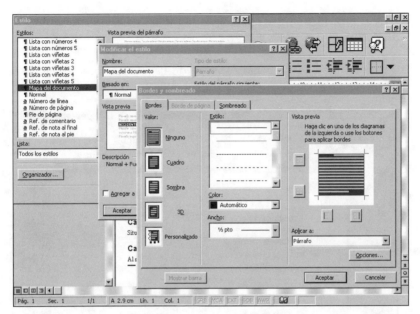

Figura 13. *Cuadro que se usa para configurar el aspecto del fondo de los títulos que muestra la Presentación Mapa de Documento.*

5. PRESENTACIÓN DISEÑO DE PÁGINA.

Junto con Normal y Preliminar es una de las presentaciones más usadas en *Word*. Presentación Diseño de Página muestra la realidad de la hoja, es decir, sus bordes, sus márgenes, su entorno y todos sus elementos. Es la Presentación que se usa para modificar el aspecto global de cada una de las páginas del documento. A continuación se enumera algunas de las tareas que se desarrollan desde esta Presentación:

♦ Evaluar si los párrafos de cada hoja equidisten entre sí.
♦ Modificar los Encabezados y Pies de página.
♦ Cambiar los márgenes de la hoja.
♦ Modificar el ancho de una columna.
♦ Modificar una imagen, dibujo o gráfico.
♦ Modificar la ubicación de columnas, marcos, tablas, gráficos, dibujos y cualquier otro elemento presente en la página.

Presentaciones 5

La **Figura 14** muestra como se ve un documento en presentación Diseño de Página.

Para entrar a presentación Diseño de Página hay que hacer un clic en el tercer botón de la izquierda de la barra de Desplazamiento Horizontal.

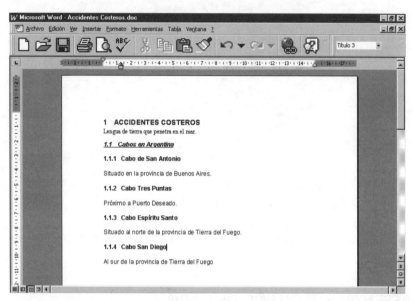

Figura 14. *En Presentación Diseño de Página vemos la realidad de la hoja.*

5.1. ¿Qué tareas no conviene hacer desde esta Presentación?

No conviene ingresar datos ni editar texto de forma sistemática. Es decir, no conviene elegir esta Presentación para escribir y corregir el documento. Esto, sin embargo, no invalida la posibilidad de realizar correcciones puntuales o algún ingreso que no queremos postergar para después.

Muchos usuarios ingresan a Presentación Diseño de página para ver cómo está quedando la hoja, y permanecen allí ingresando todo el texto que les falta. Esto no conviene ya que el procesamiento de texto es más lento que en la Presentación Normal, y además si la imagen no tiene el tamaño real o está aumentada será difícil la lectura.

6. PRESENTACIÓN PRELIMINAR

Presentación Preliminar es la Presentación ¨preliminar¨ a la impresión. Es la presentación que usamos para evaluar el aspecto global del documento. Las siguientes son características de esta Presentación:

6.1.1. Característica 1:

Vemos en pantalla una o más páginas reducidas al 20% de su tamaño y recortadas sobre el fondo oscuro del escritorio.

6.1.2. Característica 2:

No se alcanza a leer lo que está escrito a menos que aumentemos la imagen.

6.1.3. Característica 3:

Cuando la imagen está reducida el texto aparece borroso representado por líneas grises o negras. Los números de página, encabezados, etc. están representados por parches ubicados sobre los bordes superior e inferior.

6.1.4. Característica 4:

Si pulsamos las teclas *PAGE UP* y *PAGE DOWN*, saltamos una o más páginas hacia adelante o hacia atrás.

6.1.5. Característica 5:

Están visibles las dos reglas.

6.1.6. Característica 6:

Cuando ingresamos a Presentación **Preliminar** aparece una barra de Herramientas. La función de cada uno de los botones de esta barra de Herramientas se describirá más adelante. La **Figura 15** muestra una hoja en Vista Preliminar.

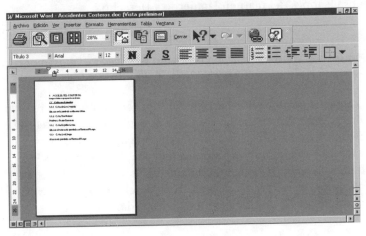

Figura 15. Así se ve una hoja en Vista Preliminar.

6.2. ¿Qué tareas hacemos desde Presentación Preliminar?

Dado que esta presentación nos proporciona una visión panorámica del documento es ideal para:

♦ Hojear un trabajo como si estuviese impreso en papel, comparando hojas entre sí.

♦ Evaluar la distribución y el tamaño de los diferentes elementos en cada página. Por ejemplo, evaluar la ubicación de los saltos de página, la distribución de objetos, imágenes, tablas, etc.

♦ Comprobar que exista una coherencia estética a lo largo de todo el documento, es decir, que no haya títulos solos al final de las páginas, tablas partidas, etc.

♦ Detectar problemas de distribución de texto, como por ejemplo poco texto en una página y mucho en otra.

♦ Verificar que una tabla, dibujo, esquema u objeto esté centrado respecto a los márgenes o a los bordes de la página.

♦ Detectar un gráfico separado de su epígrafe por un salto de página, una porción de texto mal alineada, el tamaño desproporcionado de un dibujo, etc.

♦ Evaluar si el tamaño de los márgenes es el adecuado para cada una de las páginas.

6.3. ¿Cómo modificamos los márgenes estando en Presentación Preliminar?

Para modificar los márgenes utilizando esta presentación procedemos así:

♦ Verificamos que están visibles la regla Horizontal y la Vertical. Si no es así, elegimos **Ver** y luego **Regla**.

♦ Identificamos los topes grises correspondientes a los márgenes. En la **Figura 16** vemos los topes del margen Izquierdo y Derecho.

Figura 16. Topes de margen Izquierdo y Derecho que usamos para modificar los márgenes laterales de una hoja.

♦ Ubicamos el puntero justo arriba del tope, en el límite entre el gris y el blanco de la regla, y mantenemos pulsado el botón izquierdo del *Mouse*.

♦ Verificamos que aparece una línea punteada indicando la posición del margen en la hoja, y que el puntero cambia a flecha de dos cabezas.

♦ Pulsamos la tecla *ALT* y la mantenemos pulsada.

♦ Verificamos que ahora aparece la medida del margen.

♦ Arrastramos el *Mouse* hasta la medida deseada.

6.4. Los botones de la Barra de Herramientas Presentación Preliminar

La función de cada uno de estos botones se describe a continuación:

Botón Imprimir: inicia la impresión del documento. De forma predeterminada se imprimirá todo el documento.

Figura 17. *Una vez conforme con lo que aparece en Vista preliminar podemos largar la impresión directamente desde esta Presentación.*

Botón Aumentar: aumenta o disminuye el tamaño de una página. Cuando el documento está aumentado y pulsamos nuevamente este botón obtenemos el cursor y podemos modificar el escrito.

Figura 18. *Use este botón para alternar entre vista panorámica y vista con detalles.*

Botón una/varias páginas: Muestra varias páginas a la vez.

Figura 19. *En Vista Preliminar podemos ver una sola hoja o varias hojas a la vez.*

Botón Zoom :Permite controlar el tamaño del documento.

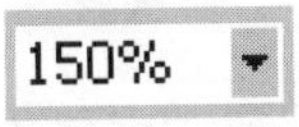

Figura 20. *Este botón permite personalizar el tamaño del zoom para adaptarlo al nivel de detalle que queremos apreciar.*

Botón Ver Regla:Muestra u oculta la regla Horizontal.

Figura 21. *Si queremos variar los márgenes necesitamos mostrar la regla.*

Presentaciones 5

Botón Reducir hasta ajustar: permite recuperar líneas perdidas (Control de Viudas y Huérfanas).

Figura 22. *Un clic en este botón y todo el texto se reordenará para que no queden líneas aisladas.*

Botón Documento Maestro: aumenta el tamaño del área de texto ocultando las Barras de Herramientas y todo otro elemento de pantalla.

Figura 23. *Con este botón obtenemos una vista panorámica de la hoja.*

Botón Cerrar: Permite volver a la Presentación en la que estábamos trabajando antes de seleccionar Presentación Preliminar.

Figura 24. *Un clic aquí para salir de Presentación Preliminar.*

Botón Ayuda: Dos clics inicia los temas de ayuda mientras que un solo clic convierte al puntero en Signo de Pregunta, el cual, depositado sobre cualquier elemento de la pantalla nos proporciona información relacionada con dicho elemento.

Figura 25. *El botón Ayuda trabaja con uno o dos clics.*

6.5. ¿Cómo ingresamos a Presentación Preliminar?

Para acceder a presentación Preliminar hay que seleccionar **Archivo** y luego **Vista Preliminar**, como se muestra en la **Figura 26**.

Figura 26. *Así ingresamos a Vista Preliminar.*

También podemos hacer un clic sobre el botón con forma de lupa ubicado en la Barra de Herramientas Estándar.

Figura 27. *Presentación Preliminar se usa antes de la impresión.*

7. PRESENTACIÓN ESQUEMA

Presentación Esquema es un tipo de presentación que se utiliza para trabajar con documentos extensos. En esta Presentación podemos mostrar sólo los títulos del documento y trabajar con ellos. Por ejemplo, podemos mover un título y todo el texto que está debajo de él arrastrando sólo la palabras del título. Esta presentación también se usa para evaluar la coherencia que existe entre los títulos y subtítulos de un documento, es decir, que todos los títulos de igual importancia tengan el mismo aspecto, que los subtítulos sean menos vistosos que los títulos, la ubicación y el orden de los mismos, etc. La **Figura 28** muestra un documento en presentación Esquema.

Las siguientes son características de presentación Esquema:

7.1.1. Característica 1:

La hoja ocupa toda la pantalla, no pueden verse los bordes.

7.1.2. Característica 2:

El texto aparece siempre precedido de alguno de los signos que se muestran en la Figura 28:

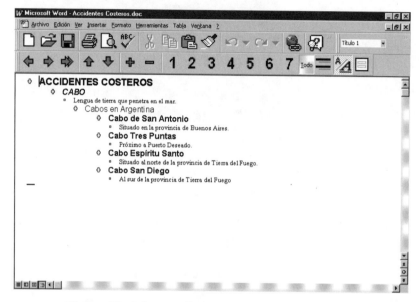

Figura 28. Así se ve el texto y los títulos en Vista Esquema.

7.1.3. Característica 3:

En **Presentación Esquema** el texto está a mayor o menor distancia del margen izquierdo dependiendo de su jerarquía. Es decir, los títulos están ubicados en columnas según qué tan importantes son. Los títulos de mayor jerarquía aparecen más cerca del margen izquierdo y a medida que la jerarquía disminuye los títulos se desplazan más y más a la derecha. El texto independiente es el que más cerca está del margen derecho.

7.1.4. Característica 4:

El texto independiente puede estar visible o no.

7.1.5. Característica 5:

Las reglas no están visibles.

7.1.6. Característica 6:

Cuando ingresamos a presentación **Esquema** aparece una Barra de Herramientas. La función de cada uno de los botones de esta Barra de Herramientas se describirá más adelante.

En el ejemplo que se muestra en la **Figura 29**, ¨Accidentes Costeros¨ es el título principal, es decir, es el título de nivel 1 y por lo tanto se encuentra sobre el margen izquierdo. Como tiene otros títulos de menor jerarquía debajo de él está precedido por el signo ¨+¨. Los títulos de menor jerarquía que le siguen van del nivel 2 al 4 y están ubicados cada vez más lejos del margen izquierdo. El texto común aparece en todo momento precedido por el cuadrado que lo identifica como tal, y como se encuentra expandido, está visible.

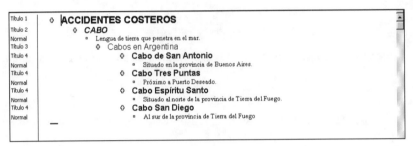

Figura 29. *Los títulos se desplazan hacia la izquierda a medida que tienen menor importancia.*

7.2. ¿Cómo se utilizan los botones de la Presentación Esquema?

Cuando ingresamos a Presentación Esquema aparece una Barra de Herramientas que contiene los botones que se muestran a continuación.

La función de cada uno de ellos es la siguiente:

<u>**Botón Desplazar arriba/abajo**</u>: Desplaza un título y todo lo que hay debajo de ese título una línea hacia arriba o hacia abajo. En caso de que necesitemos desplazarlo más de una línea hay que pulsarlo varias veces.

Figura 30. *Hacemos un clic aquí para mover los títulos hacia arriba o hacia abajo.*

Botón Aumentar/Disminuir nivel: Aumenta o disminuye la jerarquía de un título. Por ejemplo, podemos pasar un título de nivel 1 a nivel 2. El título aparecerá ahora con el estilo de los títulos de segundo nivel.

Figura 31. Use este botón para restar importancia a un título.

Botón Expandir/Ocultar: Muestra u oculta el texto independiente que existe debajo de los títulos. Esto se utiliza para ahorrar espacio en pantalla y poder abarcar la mayor cantidad de títulos posible.

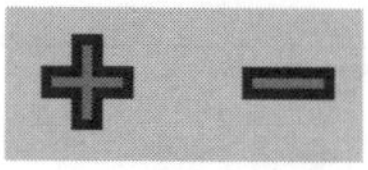

Figura 32. La pantalla es limitada. Si queremos comparar títulos tenemos que ocultar el texto común.

Botón Disminuir a Texto Independiente: Convierte un título a texto independiente.

Figura 33. Un clic aquí y un título pasará a texto común.

Botón Mostrar Título Nivel ...: Permite habilitar los niveles de títulos que queremos ver en pantalla. Por ejemplo, si elegimos el nivel 3, podremos ver sólo los títulos de niveles 1 al 3.

Figura 34. Un clic en el 1 muestra sólo los Títulos de primer nivel.

Botón Mostrar sólo Primera Línea: Muestra la primera línea de texto independiente debajo de un título. Se utiliza para no perder de vista el texto normal.

Figura 35. Un clic aquí para tener una referencia de lo que está debajo.

Botón Mostrar Formatos: Muestra el texto con sus respectivos estilos. Si no lo pulsamos vemos el texto en borrador.

Figura 36. *Pulsando este botón mostramos la realidad de la letra.*

Botón Documento Maestro: Habilita la Barra de Herramientas Documento Maestro (Ver presentación Documento Maestro).

Figura 37. *Desde aquí accedemos a Vista Documento Maestro.*

7.3. ¿Qué se entiende por Títulos?

Cuando hablamos de Títulos nos referimos a alguno de los 9 Estilos Predeterminados de *Word*. Esto significa que si escribimos un documento en el que destacamos los títulos cambiándoles el tamaño y la letra, pero no realizamos el Esquema de Jerarquías, no podremos trabajar en Presentación Esquema dado que todo el documento se verá como texto independiente. Para confeccionar un Esquema de Jerarquías hay que proceder como se explicó en Presentación Mapa de Documento.

7.4. ¿Qué hacemos desde Presentación Esquema?

En **Presentación Esquema** podemos:

- Comparar los títulos del documento: Evaluar si los títulos tienen el aspecto apropiado para su importancia, si todos los títulos del mismo nivel se ven igual, si el contenido de cada título es el adecuado, si existe una coherencia entre títulos y subtítulos, etc.
- Subir o bajar de nivel un título: Corroborar qué títulos tienen más importancia que otros y si es necesario, bajarlos de nivel o dejarlos como están.
- Arrastrar de una posición a otra un título y su texto independiente: En presentación Esquema los títulos se arrastran con el *Mouse* como si fueran objetos. Lo bueno es que cuando arrastramos un título también nos llevamos todo el texto que está debajo. Esto simplifica mucho las operaciones en las que se mueven y copian grandes porciones de texto, ya que moviendo una sola palabra movemos varios párrafos disminuyendo así el riesgo de perder información por el camino o confundirnos en el momento de realizar la selección.

8. PRESENTACIÓN DOCUMENTO MAESTRO.

La Presentación Documento Maestro se usa para trabajar con documentos extensos que están divididos en capítulos. Como vemos en la **Figura 38** los capítulos aparecen como bloques y dentro de cada bloque el texto está distribuido de forma similar a presentación **Esquema**, es decir, desplazado respecto del margen izquierdo según su jerarquía y precedido por alguno de los signos vistos anteriormente.

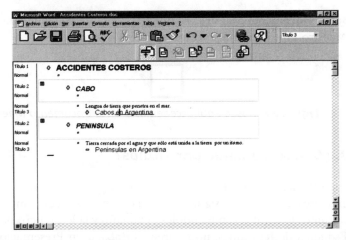

Figura 38. *Así se ve un documento en Presentación o Vista Documento Maestro.*

En *Word* la expresión Documento Maestro se refiere a un documento extenso, compuesto por varios bloques o capítulos. Un libro, por ejemplo, es considerado en *Word* un Documento Maestro.

El modo que tiene *Word* de tratar los documentos maestros es el siguiente: Cada capítulo es un archivo independiente y puede ser abierto y modificado dentro o fuera del Documento Maestro. Esto significa que al momento de guardar un Documento Maestro, *Word* separa cada uno de los capítulos que lo conforman y los guarda en archivos independientes bajo el nombre del título que poseen. Luego guarda el cuerpo del Documento Maestro por separado. Esto permite que podamos acceder a los capítulos de dos modos distintos:

1) Abriéndolos como cualquier documento de *Word.*
2) Abriéndolos como parte del Documento Maestro.

Si queremos concentrarnos en la edición de un capítulo conviene abrir sólo ese capítulo, ya que así incrementamos mucho la velocidad de trabajo.

Por el contrario, si lo que deseamos es reorganizar los capítulos, ordenarlos, ubicar uno antes que otro, o insertar un capítulo nuevo, tendremos que abrir el Documento Maestro y sin expandir los capítulos seleccionar el o los bloques que queremos mover, copiar, etc.

Es importante destacar que cualquier documento de *Word* puede ser declarado Documento Maestro, la única condición que tiene que cumplir es poseer un Esquema de Jerarquías.

8.1. ¿Para qué usamos la Vista del Documento Maestro?

Presentación o Vista Documento Maestro se usa para realizar, entre otras, las siguientes tareas:

◆ Saltar rápidamente de un capítulo a otro sin recorrer todo lo que hay entre los dos capítulos.
◆ Reorganizar un documento extenso moviendo los capítulos de lugar. Esto se hace arrastrando el ícono que aparece al comienzo del capítulo. Toda la información contenida en ese capítulo se moverá como un bloque.
◆ Crear referencias cruzadas entre varios documentos de *Word*. Por ejemplo, hacer referencia a una tabla, gráfico o cualquier otro elemento que figure en un capítulo anterior o posterior.
◆ Trabajar entre varios usuarios en un mismo documento creando cada uno un capítulo que luego será incorporado al Documento Maestro.

8.2. ¿Cómo creamos un Documento Maestro?

Para crear un Documento Maestro procedemos del siguiente modo:

◆ Seleccionamos **Archivo** y luego **Nuevo**.
◆ En la hoja en blanco que aparece escribimos el título del Documento Maestro y cada uno de los títulos de los capítulos. Es importante pulsar *ENTER* después de cada título.
◆ Seleccionamos el nombre del Documento Maestro y le aplicamos el Estilo Predeterminado Título 1 como se vio en presentación Esquema.
◆ Seleccionamos cada uno de los títulos de los capítulos y les aplicamos el Estilo Predeterminado Título 2.
◆ Seleccionamos uno por uno los títulos de segundo nivel y hacemos un clic en el botón **Crear subdocumento**, de la Barra de Herramientas **Documento Maestro** que aparece cuando ingresamos a esta Presentación. El botón **Crear subdocumento** tiene el aspecto que se muestra en la **Figura 39**.

Figura 39. *Este botón permite crear subdocumentos.*

8.3. Convertir un documento existente en Documento Maestro

Como dijimos antes cualquier documento de *Word* puede ser un Documento Maestro. Para convertir un documento común en Documento Maestro seguimos el siguiente grupo de instrucciones:

◆ Abrimos el documento existente.

◆ Pasamos a presentación Documento Maestro.

◆ Declaramos los títulos como tales utilizando los Estilos Predeterminados de *Word*.

◆ Seleccionamos los títulos y el texto que deseamos dividir en capítulos. Por ejemplo, si la selección empieza con Título 2, *Word* creará un nuevo subdocumento con todos los Títulos de segundo nivel.

◆ Seleccionamos, en la Barra de Herramientas **Documento Maestro,** el botón **Crear subdocumento**.

◆ Guardamos el Documento Maestro con algún nombre representativo. *Word* asignará un nombre de archivo a cada subdocumento, basándose en los primeros caracteres del título.

8.4. Insertar un documento de Word en un Documento Maestro

Para convertir un documento de *Word* en capítulo de un Documento Maestro procedemos así:

◆ Pasamos a Presentación Documento Maestro.

◆ Mostramos en pantalla el Documento Maestro al que se le va a incluir un subdocumento.

◆ Expandimos todos los subdocumentos.

◆ Ubicamos el cursor en una línea en blanco en donde aparecerá el nuevo capítulo.

◆ Seleccionamos, en la Barra de Herramientas Documento Maestro, el botón **Insertar subdocumento**.

◆ Verificamos que aparece el Cuadro de Diálogo **Abrir** que se muestra en la **Figura 40**. Escribimos el nombre del documento y la ruta de acceso y hacemos un clic en el botón **Abrir**.

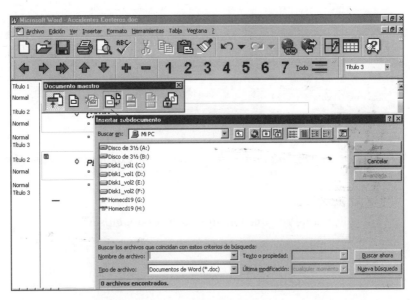

Figura 40. *En el Cuadro de Diálogo Abrir elegimos el futuro Subdocumento.*

9. PRESENTACIÓN PANTALLA COMPLETA

La Presentación Pantalla Completa es poco usada en *Word* ya que lo único que podemos hacer con ella es visualizar el documento en su tamaño real, sin reglas, barras de Herramientas ni ningún otro elemento de pantalla que obstruya la imagen.

Para trabajar en presentación **Pantalla Completa** necesitamos utilizar atajos de teclado, o Menúes Contextuales dado que las Barras de Herramientas que utilizamos normalmente no están visibles.

Recordemos que los Atajos de Teclado son combinaciones de teclas que permiten llevar a cabo una tarea. Por ejemplo, para subrayar texto en Vista Pantalla Completa hay que seleccionar el texto y luego pulsar simultáneamente las teclas CTRL + S.

Los Menúes Contextuales aparecen haciendo un clic con el botón derecho del *Mouse*. La posición en la que se encuentra el cursor al momento de hacer el clic determina el menú que aparecerá. Por ejemplo, si estamos trabajando en presentación Pantalla Completa y necesitamos cambiar el formato de carácter, seleccionamos el texto cuyo formato queremos modificar y pulsamos el botón derecho del *Mouse*. Aparecerá el Menú Contextual que se muestra en la **Figura 41**, desde donde seleccionaremos la opción **Fuente**.

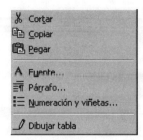

Figura 41. *En Presentación Pantalla Completa pedimos los comandos hacien-do un clic con el botón derecho del Mouse.*

Para volver a la Presentación anterior presionamos *ESC.*

PROBLEMAS

1. Juan inicia una sesión de *Word* para hacer una carta. Selecciona un tamaño de letra chica para que el documento entre en tres carillas y comienza a trabajar en Presentación Normal. Cuando termina de escribir se siente cansando por el esfuerzo de la lectura por pantalla.

2. María está trabajando en Presentación Normal, está apurada y siente que la máquina tarda mucho en procesar la información que ingresa, pero no sabe qué hacer para modificar esta situación.

3. Mariano está trabajando en Presentación Normal y necesita saber a qué altura del documento está, pero no encuentra los bordes de la hoja. Sabe que existen otros tipos de Presentaciones que pueden darle esta información, pero no se anima a pasar a ellas por miedo a no poder volver a donde estaba.

4. Rosa tiene que hacer un documento con seis tablas y tres columnas Estilo Periódico. Utiliza como única vista la Presentación Normal, ingresa el texto independiente y las tablas sin problemas, pero no puede hacer las columnas. Cuando imprime se sorprende al ver que existen las tres columnas que necesitaba.

5. En la Secretaría de Agronomía necesitan revisar un informe que contiene 60 tablas. El secretario al que se le asigna la revisión de las tablas se pregunta si existirá un método para saltar de una tabla a otra sin recorrer todo lo que está escrito.

6. Daisy necesita imprimir un manual de instrucciones. El manual contiene cinco capítulos que fueron creados como documentos independientes. Cada capítulo tiene entre siete y diez dibujos que deben aparecer numerados secuencialmente en el manual. Daisy decide imprimir cada capítulo por separado y, antes de hacerlo, modificar los números correspondientes a cada dibujo de modo que aparezcan ordenados cuando integren el manual. La tarea le demanda una hora.

7. Al usuario de la máquina N º 5,en repetidas oportunidades, se le queda la pantalla en blanco, sin las Barras de Herramientas.

SOLUCIONES

1. Si bien la Presentación Normal está pensada para escribir y editar texto, hay que evaluar y muchas veces modificar el tamaño de fuente y el aumento del *zoom* con que estamos trabajando. Dado que en esta Presentación el tamaño de la letra que vemos en pantalla es el tamaño con que aparece impreso el documento, si la letra seleccionada es muy pequeña, entonces será difícil la lectura por pantalla. Cuando la fuente seleccionada es menor a 10 puntos, conviene trabajar con valores de *zoom* mayores de 100%. Si el tamaño de fuente es de 10 puntos o más y seleccionamos un aumento de *zoom* mayor que 100%, parte del texto se ocultará sobre el margen derecho. En estos casos conviene seleccionar en el botón de *zoom* la opción "Ancho de Página", para que *Word* seleccione el aumento adecuado para mostrar todo. La **Figura 42** muestra el *zoom*.

Figura 42. *Zoom que se utiliza para establecer que el texto no sobrepase el ancho de la pantalla.*

Dado que seleccionó un tamaño de fuente tan pequeño, Juan podría haber trabajado con más comodidad en Presentación Diseño de Pantalla. Recordemos que en esta presentación:

♦ Todos los documentos aparecen grandes y legibles más allá del tamaño de letra con que fueron escritos.

♦ El ancho del texto nunca supera al ancho de la pantalla.

♦ La paginación está automáticamente deshabilitada para aumentar la velocidad de procesamiento del texto.

♦ Podemos configurar el fondo para mejorar la lectura.

2. Para ganar velocidad María podría:

    1) Habilitar la función Fuente de Borrador (Menú **Herramientas/Opciones/General**).

    2) Deshabilitar la función Paginación Automática.((Menú **Herramientas/ Opciones/Ver**).

Función Fuente de Borrador

Esta función obliga a que la escritura se lleve a cabo con letra sencilla, de tipo borrador. Este tipo de letra es más fácil de mostrar en pantalla y acelera el procesamiento de texto.

Función Paginación Automática

Esta función realiza periódicamente la inserción de cortes de página en los lugares correspondientes. Recordemos que la paginación automática demora el ingreso de caracteres porque bloquea el teclado mientras se lleva a cabo.

3. Mariano podría seleccionar cualquiera de las presentaciones que existen en el menú **Ver** y que se muestra en la **Figura 43**. También podría elegir la opción Presentación Preliminar en **Archivo.**

Figura 43. Menú Ver con todas las Presentaciones que figuran allí.

4. La Presentación Normal es la adecuada para ingresar texto, tablas e incluso columnas Estilo Periódico, pero rara vez se trabaja utilizando sólo una Presentación. Una vez finalizado el ingreso de datos, Rosa debería evaluar el diseño de cada página en Presentación Diseño de Página.
    En Presentación Normal, las columnas Estilo Periódico se ven como una única columna situada sobre el margen izquierdo. El problema de ella no era crear las columnas, sino darse cuenta de que nunca iba a verlas en esta Presentación.

5. El desplazamiento desde un elemento a otro del mismo tipo se facilita por las flechas dobles que aparecen en la Barra de Desplazamiento vertical y que funcionan con la Bolilla selectora de Modos que se muestra en la **Figura 44**.

Figura 44. *Selector de modos de recorrer un documento.*

El secretario tiene que hacer lo siguiente:

♦ Pulsar sobre la bolilla selectora.
♦ Seleccionar Modo Tabla en el muestrario de la **Figura 45**.
♦ Desplazarse a la tabla siguiente o a la anterior pulsando sobre las flechas dobles.

Figura 45. *Muestrario con los 12 modos de recorrer un documento.*

6. Este trabajo lo hace automáticamente *Word* cuando trabajamos en Presentación Documento Maestro. Cuando un Documento Maestro recibe un nuevo capítulo reorganiza la numeración de sus dibujos, tablas, gráficos, referencias cruzadas etc., de modo que el o los elementos ingresados se intercalen adecuadamente en la serie existente. Lo que Daisy hizo manualmente, *Word* podría haberlo hecho en unos pocos segundos.

7. Seguramente este usuario ingresa accidentalmente en Presentación Pantalla Completa. Recordemos que esta presentación está pensada para ver el documento en su tamaño real, sin Barras de Herramientas, reglas o cualquier otro elemento de pantalla que pueda reducir el área de texto.
    Para salir de esta Presentación hay que presionar *ESC* o bien hacer un clic el botón **Salir de Pantalla Completa**, que se muestra en la **Figura 46**, y que aparece cuando ingresamos a esta Presentación.

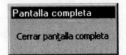

Figura 46. *Un clic aquí y salimos de Presentación Pantalla Completa.*

FORMATO DE PÁGINA

6

Tiempo de lectura y práctica:
1 hora

6

Objetivo de la lección

- ■ Aprender a Configurar el Formato de una Página.
- ■ Modificar los márgenes, el tamaño de la hoja y la orientación del papel, etc.
- ■ Trabajar con Secciones y Saltos de Página.
- ■ Crear Encabezados y Pies de Página.
- ■ Numerar Páginas.

1. LAS PÁGINAS EN *WORD*

Cuando recorremos un documento que tiene varias páginas utilizando ciertas presentaciones de *Word*, tenemos la sensación de estar pasando las hojas como si estuviesen impresas. Vemos en pantalla todos los elementos que caracterizan a una hoja, sus bordes, sus Números de Página, sus Márgenes, etc. La idea intuitiva que tenemos de página coincide con lo que vemos en pantalla. Sin embargo, *Word* interpreta las página de un modo menos gráfico que el usuario. Para *Word*, una página es una cierta cantidad de espacio, que puede o no tener texto, seguida de un Salto de Página. Esto se ve claramente en Presentación Normal, donde no vemos una hoja tras otra como si fuese un libro, sino que vemos lo que entiende *Word* por página: texto y cada tanto una línea de puntos, que no es otra cosa que un Salto de Página indicándonos el fin de una hoja y el comienzo de otra. Pensar en una página del modo que lo hace *Word* sirve para entender muchos conceptos que veremos a continuación y que están relacionados directa o indirectamente con los Saltos de Página.

La **Figura 1** nos muestra un Salto de Página en Presentación Normal.

Figura 1. Así se ve un Salto de Página en Presentación Normal.

1.1. Paginación Automática vs. Paginación Manual

Antes de seguir adelante con el aspecto y las características de las páginas, analicemos cómo dividimos un documento en páginas, qué papel juega *Word* en ésto y qué papel juega el usuario.

En general, el que determina dónde termina una página y empieza otra es *Word*, utilizando un proceso que se conoce como Paginación Automática, y que describimos a continuación.

La Paginación Automática ocurre inevitablemente, a no ser que sea desactivada temporalmente. Es un proceso que tiene lugar periódicamente, cuando el usuario detiene el ingreso de caracteres, y mientras ocurre, el teclado queda bloqueado. En la Paginación Automática *Word* procede del siguiente modo: Cuando el usuario hace una pausa en el ingreso de caracteres, evalúa la extensión del texto ingresado y lo compara con el espacio que queda hasta el final de la hoja. Este espacio dependerá del tamaño de papel utilizado, de los valores de los Márgenes, del tamaño de la Fuente, etc. Si la extensión de texto ingresado es mayor que el espacio que queda, acomoda lo que entra en esa misma hoja, inserta un Salto de Página Automático y pasa lo que sobró a la página siguiente. Si por el contrario es menor, no hace nada y habilita el teclado para que el usuario pueda seguir escribiendo.

El proceso de Paginación Automática es el que divide al documento en páginas a medida que el usuario ingresa texto. Es un proceso que la máquina tiene que realizar sí o sí para pasar el texto que no entra a la página siguiente. Dado que a veces resulta molesto porque impide por algunos segundos los ingresos, si estamos trabajando en Presentación Normal, podemos desactivarlo. Sin embargo, es importante destacar que, en cuanto pasemos a otras presentaciones, como por ejemplo Diseño de Página o Preliminar (Ver capítulo de Presentaciones), los Saltos de Página pendientes se insertarán todos juntos demorando las operaciones siguientes.

La Paginación Automática se desactiva desde menú **Herramientas,** Cuadro de Diálogo **Opciones,** deshabilitando el casillero **Paginación Automática** de la ficha **General**, como se muestra en la **Figura 2**.

La Paginación Manual es otro modo de crear páginas en *Word*. A diferencia del anterior, aquí es el usuario quien decide cuándo y dónde termina una página y empieza otra. El procedimiento es muy simple. En el momento que el usuario considera más adecuado, ubica el cursor en donde quiere que termine una página e inserta un Salto de Página Manual pulsando la combinación de teclas CTRL+*ENTER*. El texto ubicado a partir de ese lugar pasa automáticamente a la página siguiente.

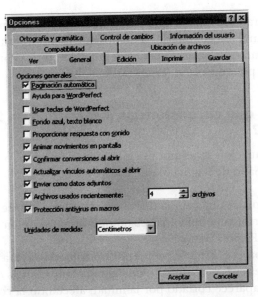

Figura 2. *Así se desactiva la Paginación Automática.*

En la Paginación Manual, a diferencia de la Automática, no importa si la hoja está recién empezada, a medias escrita o casi terminada. El usuario es el que decide, elige el momento y el lugar adecuado e inserta el Salto de Página Manual obligando al texto que sigue o al que va a ser ingresado a aparecer en otra hoja. Los Saltos de Página Manuales se ven en Presentación Normal como una línea de puntos más gruesa que la del Salto Automático y tiene el nombre Salto de Página en el centro como se muestra **Figura 3**.

Figura 3. *Así se ve un Salto de Página Manual en Presentación Normal.*

Cabe aclarar que en presentación Diseño de página y Preliminar ambos Saltos de Página se ven como bordes de la hoja y no podemos distinguir uno de otro.

1.2. ¿Cómo borramos los Saltos de Página?

Los Saltos de Página Automáticos no pueden borrarse. Lo que hacemos es anularlos al insertar un Salto de Página Manual en la misma hoja en la que se encuentran. En este caso, *Word* quitará el Salto Automático dando prioridad al Manual y evaluará a partir de este último cuánto le falta para terminar la página. Para decirlo de otro modo, *Word* tomará como referencia el Salto Manual y retendrá el Automático hasta llegar al fin de la hoja.

Formato de página 6

En contraposición a lo que pasa con los Saltos Automáticos, los Manuales sí se borran. Para eliminarlos tenemos que estar en Vista Normal. Una vez en esta Presentación, seleccionamos la línea de puntos como si fuese una línea de texto y pulsamos *DEL* (SUPRIMIR).

1.3. ¿En qué circunstancias insertamos un Salto de Página Manual?

A continuación se nombran cinco situaciones que pueden llevarnos a insertar un Salto de Página Manual:

◆ Queremos iniciar una página nueva sin completar la anterior. En ese caso movemos el cursor una línea más abajo del último renglón escrito e insertamos un Salto de Página Manual.

◆ Una tabla aparece dividida en dos por un Salto de Página Automático. Una de las soluciones es forzar un Salto de Página Manual antes de la tabla.

◆ Un párrafo aparece cortado por la mitad, afectando la continuidad de su lectura. Una de las soluciones es desplazar el cursor hasta el comienzo del párrafo e insertar un Salto de Página Manual.

◆ Queremos agregar varias hojas en blanco al documento. Esto se hace forzando varios saltos de página, uno detrás de otro, tantas veces como páginas en blanco necesitamos agregar.

◆ Queremos iniciar el documento con una carátula. En este caso escribimos el texto de la carátula e insertamos un Salto de página Manual. El párrafo quedará sólo en la primera página.

2. FORMATO DE PÁGINA

Ahora que ya sabemos qué entiende *Word* por Página y cómo se crean las páginas en *Word*, vamos a analizar las características de una página. En el capítulo 5 nos referimos al Formato de Fuente y de Párrafo como el conjunto de atributos que caracterizan a estos elementos.

El Formato de Página es por lo tanto el conjunto de atributos de una página. A continuación se muestra una lista con las características de página más importantes:

◆ Tamaño y Orientación del papel.
◆ Ancho de Márgenes.
◆ Presencia o no de Números de Líneas en los párrafos.
◆ Alineación Vertical del texto en la Página.
◆ Presencia o no de Encabezados y Pies de página.

- Presencia o no de Números de Página.
- Número de Secciones definidas a lo largo del documento.
- Presencia de Columnas Estilo Periódico.

La mayoría de estas características se aplican a la página entera. Un ejemplo de esto es el Tamaño y la Orientación del Papel, que no pueden variar dentro de una misma página. No podemos tener una página tamaño Carta y Oficio a la vez. Sin embargo, hay dos atributos que pueden aplicarse sólo a porciones de texto y que sin embargo son considerados atributos de Página. Estamos hablando de la Numeración de líneas y de las Columnas Estilo Periódico. Dadas sus características, las Columnas Estilo Periódico se tratarán más adelante. La Numeración de Líneas se refiere a la presencia o no de número en los renglones. Se utiliza mucho en Contratos, Acuerdos, etc. En estos casos, varias personas siguen una misma lectura utilizando los números de renglones para encontrar rápidamente el texto al que se está haciendo referencia. La Numeración de Línea, al igual que la mayoría de las características de página, se modifican desde el Cuadro de Diálogo **Configurar Página** del menú **Archivo**. Este Cuadro de Diálogo cuenta con cuatro fichas, a lo largo de las cuales están distribuidas las características de las Páginas. La Numeración de Líneas se encuentra en la ficha Diseño de Página, como se muestra en la **Figura 4**.

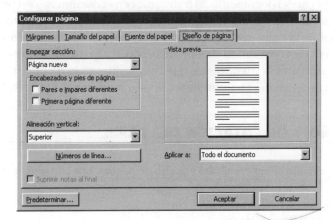

Figura 4. *Desde aquí se muestran u ocultan los números de renglones.*

Antes de iniciar el análisis de los distintos atributos de página cabe aclarar que el aspecto de una página sólo puede apreciarse en presentaciones globales como Diseño de Página y Preliminar. Esto significa que no podemos modificar un margen estando en presentación Normal, porque no lo vemos. Para realizar cualquier modificación sobre el Formato de Página es necesario pasar a Vista Preliminar o Vista Diseño de Página.

Formato de página

6

2.1. Atributos Predeterminados por Word

Al igual que pasa con el Formato Fuente y el Formato Párrafo, *Word* tiene incorporado un Formato Predeterminado de Páginas que funciona con la plantilla Normal. Este Formato Predeterminado tiene, entre otras, las siguientes características:

- Tamaño de Papel: A4.
- Orientación: Vertical.
- Márgenes: Aproximadamente 3cm en todos los bordes.
- Alineación del texto respecto de la vertical: Superior.
- Número de Secciones:1.
- Encabezados y Pies de Página: Ninguno.
- Número de Línea y/o Página: Ninguno.

2.2. Modificar el Formato de Página

Antes de empezar a ingresar texto a un documento conviene evaluar si el Formato de Página Predeterminado por *Word* es adecuado para la presentación que estamos creando. En caso de que no sea así, conviene realizar las modificaciones inmediatamente y no esperar al final. El reordenamiento de texto que se produce como consecuencia de cambios globales, como la modificación del tamaño de página o del ancho de los márgenes, genera un caos en el aspecto del documento. Si trabajamos en el documento sin prestar atención al Formato de Página y luego tenemos que cambiarlo, el texto se reordenará de tal forma que pueden quedar tablas, esquemas, etc. partidos por la mitad o fuera de contexto. El tiempo dedicado al aspecto de la presentación habrá sido malgastado y tendremos que compaginar todo de nuevo.

A continuación analizaremos cómo se modifica el Formato Página.

3. TAMAÑO Y ORIENTACIÓN DEL PAPEL

El tamaño se refiere al alto y ancho de página. Los tamaños más utilizados son:

- Americano A4: 21,0 cm x 29,7 cm.
- Carta: 21,6 cm x 27,9 cm.
- Oficio (Legal): 21,59cm x 35,56 cm.

Existen otros tamaños Estándar que pueden elegirse de una lista. Si el tamaño que estamos utilizando no figura en la lista, habrá que personalizarlo ingresando las medidas adecuadas como se verá más adelante. La Orientación del papel se refiere a la posición en que se imprimirá el texto en la página. Las posibilidades son: Vertical u Horizontal.

Para modificar el tamaño y la orientación del papel elegimos **Configurar Página** del menú **Archivo** y, en la ficha **Tamaño** que se muestra en la **Figura 5**, realizamos los cambios correspondientes.

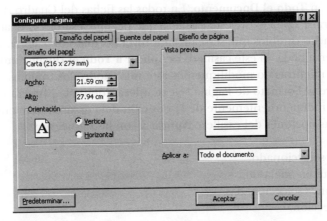

Figura 5. *Así se determina el tamaño y orientación del papel.*

Para personalizar el tamaño del papel seleccionamos la opción **Tamaño Personal,** que figura al final de la lista del casillero **Tamaño de Papel.** Cuando la palabra "Personal" aparece escrita en el casillero, ingresamos el valor del ancho y alto en los casilleros correspondientes. Es importante respetar el modo como están escritas las medidas, por ejemplo podemos ingresar 210 mm o 21,0 cm dependiendo de la configuración existente. Si donde debería ir una coma escribimos un punto, *Word* no reconocerá la medida como válida y aparecerá un mensaje de error.

3.1. ¿Qué pasa si siempre utilizamos la misma medida de papel?

En ese caso conviene establecerla como Predeterminada. Esto se hace ingresando las medidas adecuadas y luego pulsando el botón **Predeterminar,** del Cuadro de Diálogo anterior.

Al cambiar la configuración, el nuevo Formato de Página será utilizado para el documento abierto y para todos los documentos nuevos que se generen a partir de la plantilla activa (generalmente Normal.dot). Dado que estos cambios afectarán a todos los documentos nuevos es importante ser cuidadoso antes de pulsar este botón.

Formato de página 6

211

3.2. ¿Cómo sabemos que el tamaño va a cambiar en todas las páginas del documento?

Si queremos que el cambio alcance a todo el documento, es necesario verificar que el casillero **Aplicar a**, del Cuadro de Diálogo anterior, muestre la opción **Todo el Documento**. En todas las fichas del Cuadro de Diálogo Configurar Página existe este casillero que permite establecer el alcance que tendrán los cambios que se realicen a nivel Formato de Página. La opción predeterminada en este casillero es **Aplicar a Todo el Documento**. Esto significa que mientras no modifiquemos este valor, todos los cambios que realicemos sobre el Formato de Página se extenderán desde la primera página a la última, independientemente de la posición del cursor al momento del cambio. Otras opciones del casillero **Aplicar a** son las siguientes:

- ◆ Texto seleccionado.
- ◆ De aquí en adelante.
- ◆ Secciones seleccionadas.
- ◆ Esta sección.

4. MÁRGENES

Los márgenes pueden modificarse utilizando la regla, o desde el Cuadro de Diálogo **Configurar Página**, ficha **Márgenes**. La regla se utiliza para ingresar valores aproximados, ya que las medidas pasan de un valor a otro de forma arbitraria y no es posible detenerse en un valor exacto. La ficha **Márgenes**, por el contrario, se usa para valores precisos del orden del centésimo.

4.1. Modificar los márgenes utilizando la regla

Para modificar el margen utilizando la regla procedemos del siguiente modo:
- ◆ Pasamos a Presentación Diseño de Página y verificamos que aparecen en pantalla las reglas, Horizontal y Vertical.
- ◆ Identificamos las zonas grises correspondientes a los Márgenes.
- ◆ Ubicamos el puntero sobre el límite, entre la zona gris correspondiente al margen y la zona blanca correspondiente al resto de la regla.
- ◆ Cuando el puntero toma forma de flecha de dos cabezas y aparece la leyenda **Margen**, pulsamos el botón izquierdo del *Mouse* y lo mantenemos pulsado.
- ◆ Presionamos la tecla *ALT* y verificamos que aparezca la medida del margen en la regla. Arrastramos el Mouse en la dirección adecuada para agrandar o achicar el margen, como se muestra en la **Figura 6** (más detalles en la pag. 264).

Figura 6. *Así se trabaja para agrandar o achicar los márgenes de una hoja.*

4.2. Modificar los Márgenes utilizando la ficha Márgenes

El procedimiento consiste en ingresar las medidas adecuadas en cada uno de los casilleros del Cuadro de Diálogo **Configurar Página**, Ficha **Márgenes,** que se muestra en la **Figura 7**.

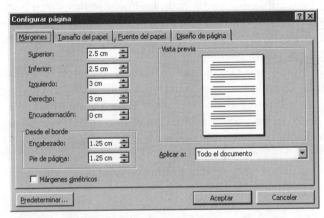

Figura 7. *En esta ventana ingresamos valores exactos de márgenes.*

El formato de las medidas ingresadas debe coincidir con el existente. Esto significa que debemos respetar la unidad existente, el separador para los decimales, etc.

La ficha **Márgenes** también nos permite establecer las siguientes configuraciones:

4.2.1. Márgenes Simétricos

Las hojas se ubicarán de a pares. Al habilitar esta opción aparecerán dos páginas paralelas enfrentadas por los márgenes interiores. El nombre del casillero **Margen Izquierdo** cambiará a **Interior,** y el del casillero **Margen Derecho** cambiará a **Exterior**.

4.2.2. Encuadernación

Este casillero se utiliza para escribir o seleccionar una cantidad de espacio adicional para la encuadernación o el anillado.

4.2.3. Encabezado

Ingresamos aquí la distancia entre el borde superior de la página y el Encabezado. En el casillero **Pie de Página** hacemos lo propio para el Pie de Página.

Formato de página   6

4.3. Alineación vertical

La alineación Vertical es la posición que toma el texto respecto del borde superior e inferior de la hoja, es decir, la altura de la hoja a la que comienza el texto. Las posibilidades son: al comienzo, al medio, etc.

De forma predeterminada *Word* ubica el cursor en la parte superior de la hoja, y a medida que escribimos, las líneas se desplazan hacia abajo (Alineación Vertical Superior). En la Alineación Vertical Centrada, el texto aparece en el medio de la hoja y se distribuye hacia arriba y hacia abajo centrándose en el medio de la página.

Este último tipo de Alineación Vertical es el que elegimos para crear una carátula. Cuando hacemos una carátula, *Word* ubica el texto entre los bordes Superior e Inferior de la hoja y, a medida que escribimos distribuye las palabras hacia arriba y hacia abajo. Como todo atributo de página, la Alineación Vertical sólo se aprecia en presentación Diseño de Página o Preliminar.

Las siguientes instrucciones indican cómo modificar la Alineación Vertical de una página:

- Ubicar el cursor en la página que se convertirá en la carátula.
- En el menú **Edición** elegir **Salto** y, en la ventana que aparece seleccionar la opción **Sección y Página nueva** (Ver explicación más adelante).
- En el menú **Archivo** elegir **Configurar Página**. En la ficha **Diseño de Página**, casillero **Alineación Vertical**, que se muestra en la **Figura 8**, seleccionar la opción **Centrada**. Verificar que el casillero **Aplicar a** tiene escrita la opción **Esta Sección** y luego pulsar **Aceptar**.

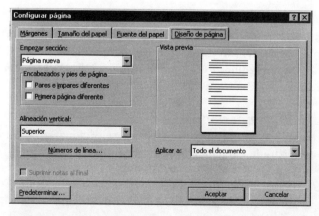

Figura 8. *Esta ventana nos sirve para crear una carátula.*

La página con Alineación Centrada quedará separada del resto por un Salto de Sección. La explicación de porqué ocurre ésto y el modo de trabajar con diferentes Secciones es el tema que trataremos a continuación.

5. SECCIONES

El aspecto de las páginas de un documento puede ser igual a lo largo de toda la presentación o variar dependiendo del lugar que ocupan, de su función, de su contenido, etc. Cuando elaboramos documentos simples, generalmente todas las páginas son similares. Todas tienen el mismo tamaño y orientación de papel, los mismos márgenes, los mismos Encabezados y Pies de página, etc. A medida que creamos presentaciones más elaboradas necesitamos diferentes tipos de página para cada porción del documento. Un ejemplo de esto son las presentaciones que tienen mayores márgenes en algunas hojas y no en otras, o una orientación de papel diferente en las hojas que tienen tablas. Para que un documento tenga diferentes tipos de páginas hay que dividirlo en Secciones.

5.1. ¿Qué es una Sección?

Como dijimos antes, las Secciones se crean para definir Formatos de Página distintos dentro de un mismo documento. Los documentos en los que las páginas tienen el mismo tamaño, los mismos márgenes, etc. del comienzo al fin están contenidos en una sola Sección. Por el contrario, aquellos documentos que tienen hojas con Formatos diferentes están divididos en dos, tres o más secciones. El ejemplo más típico de esto último son aquellos informes que contienen tablas, esquemas, etc. que no entran en las hojas verticales. En estos casos el usuario divide al documento en secciones y luego establece cuáles de estas secciones tendrán una orientación de papel vertical y cuáles una horizontal. Esto dependerá del lugar en el que se encuentren las tablas y los esquemas.

En *Word*, un documento siempre se inicia en la Sección 1, y es el usuario el que inserta Saltos de Sección para dividirlo en dos, tres o más Secciones según sus necesidades. En la Barra de Estado aparece una abreviatura del tipo ˜Sec.1˜ o ˜Sec.2˜, indicando el número de Sección en el que se encuentra el cursor. Para determinar el aspecto que tendrá la página de cada sección ubicamos el cursor dentro de esa sección, y en el menú **Archivo** elegimos la opción **Configurar Página.** En el Cuadro de Diálogo que mostramos antes elegimos el Formato adecuado para esa sección, por ejemplo elegimos los valores de márgenes, orientación del papel, etc. Antes de salir de este Cuadro de Diálogo verificamos que, en el casillero **Aplicar a**, aparezca escrita la opción **Esta Sección.** Esto confirma que los atributos elegidos sólo estarán vigentes para la o las páginas contenidas en la sección en la que se encontraba el cursor.

5.2. ¿Qué es un Salto de Sección?

Un Salto de Sección es lo que marca el fin de una Sección y el comienzo de otra. En presentación Normal, un Salto de Sección se ve como una línea

6

Formato de página

de puntos doble que va de lado a lado de la hoja. La **Figura 9** muestra un Salto de Sección visto en Presentación Normal.

Figura 9. *Un Salto de Sección divide al documento para que cada parte pueda tomar diferentes formas.*

Los Saltos de Sección no son líneas pasivas que sólo dividen al documento en porciones, sino que se comportan como verdaderos contenedores de información, guardando el Formato de Página de la Sección que delimitan. A tal punto es así, que para transferir el Formato de Página de un documento a otro, lo único que tenemos que hacer es copiar el Salto de Sección correspondiente. Es decir, en vez de configurar desde cero los Márgenes, el tamaño y orientación del papel, etc. podemos copiar el Salto de Sección de un documento en el que ya están definidos todos estos valores. El Formato de Página se transferirá automáticamente al documento de destino.

Los Saltos de Sección se copian como cualquier otro elemento, seleccionándolos y utilizando los botones **Copiar/Pegar**, o los Atajos de Teclado CTRL+C/CTRL+V.

5.3. ¿Cómo eliminamos un Salto de Sección?

Los Saltos de Sección sólo pueden eliminarse desde la Vista Normal. Primero lo seleccionamos como si se tratara de una línea de texto y luego pulsamos la tecla *DEL* (SUPRIMIR). Recordemos que al eliminar un Salto de Sección también eliminamos el Formato de Página de la sección delimitada por ese salto. Las páginas tomarán el formato de la sección anterior.

5.4. ¿Qué tipos de Saltos de Sección son posibles?

A continuación se nombran los Saltos de Sección que existen en *Word* y se explica su uso:

5.4.1. Continuo

La nueva Sección se inicia en la misma página que la Sección anterior. Este tipo de Salto se usa para definir configuraciones de página distintas dentro de la misma hoja. Un ejemplo de esto son los documentos que tienen una mitad de la hoja con líneas numeradas y la otra no, o una mitad con columnas Estilo Periódico y la otra no.

5.4.2. Página nueva

La nueva Sección empieza en la página siguiente. Este es el tipo de salto que usamos para empezar una página nueva y además para que en esa página empiece una nueva sección.

5.4.3. Página par

La nueva sección se inicia en la siguiente página par. Podemos utilizar este Salto de Sección para forzar el inicio de los capítulos en las páginas pares. Si el salto de sección se produce en una página par, *Word* dejará en blanco la siguiente página impar.

5.4.4. Página impar

Es similar al anterior, pero la nueva sección se iniciará en la próxima página impar.

5.4.5. Columna nueva

La nueva sección comenzará en la próxima columna Estilo Periódico. Este salto se usa, por ejemplo, para definir una columna con número de línea.

5.5. Dividir un documento en Secciones

Para dividir un documento en Secciones ubicamos el cursor donde terminará una Sección y empezará otra, y forzamos un Salto de Sección desde el menú **Insertar** que se muestra en la **Figura 10**. Cuando se abre la ventana con todos los saltos posibles seleccionamos alguno de los anteriores.

Figura 10. *Un clic aquí y el documento queda dividido en dos partes.*

Supongamos que un documento tiene una tabla que no entra en la hoja vertical. En este caso procedemos así:

♦ Verificamos que estamos en Presentación Normal.
♦ Ubicamos el cursor antes de la tabla.
♦ En el menú **Insertar** elegimos **Salto de Sección Página Siguiente**.
♦ Verificamos que se inserta una línea de doble punto con la inscripción "Salto de Sección (Página Siguiente)".
♦ Ubicamos el cursor al final de la tabla e insertamos otro Salto de Sección similar al anterior. El documento quedará dividido en tres secciones. La segunda conteniendo la tabla.
♦ Ubicamos el cursor dentro de la segunda sección, delimitada por los saltos insertados antes, y en el menú **Archivo** elegimos **Configurar Página**.
♦ En la ficha **Tamaño** seleccionamos la orientación de papel **Horizontal** y verificamos que, en el casillero **Aplicar a,** esté inscripta la opción **Esta Sección**.
♦ En presentación **Preliminar** comprobamos que *Word* volcó sólo la página correspondiente a la tabla como se muestra en la **Figura 11**.

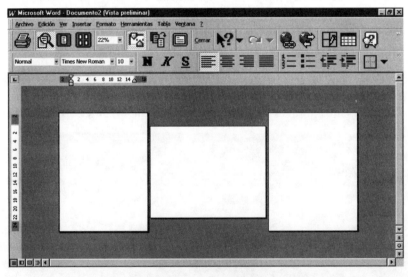

Figura 11. *Aquí se observa un documento dividido en tres secciones. La segunda con orientación del papel diferente a las otras dos.*

6. ENCABEZADOS Y PIES DE PÁGINA

Los Encabezados y Pies de Página son otros de los atributos de Página que definen la forma de la hoja. Antes de trabajar con ellos analizaremos para qué se usan.

El Encabezado es una porción de texto que aparece en la parte superior de la hoja y que da la siguiente información: Número y nombre de capítulo, nombre de la obra, nombre del Autor, número de Página, total de páginas, etc.

El Pie de Página es algo similar al Encabezado, pero está ubicado en la parte inferior. En los informes emitidos por empresas, el Pie de Página puede tener datos como la dirección de la Empresa, el teléfono, número de Fax, etc.

Los Encabezados y Pies de Página siempre están escritos en letra más pequeña que la del resto de la página. *Word* los ubica dentro del Margen Superior e Inferior y existe un modo de regular la distancia exacta en donde aparecerán. Esta configuración se lleva a cabo en el Cuadro de Diálogo **Configurar Página**, ficha **Márgenes**, como se muestra en la **Figura 12**.

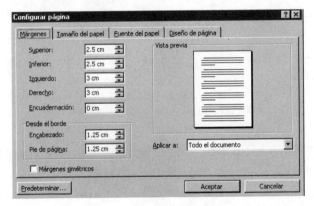

Figura 12. *Ingrese aquí para regular la distancia de los Encabezados y Pies de Página.*

Para crear Encabezados o Pies diferentes, en los capítulos diferentes de un documento, es necesario primero dividir el documento en Secciones. Más adelante veremos cómo proceder en estos casos.

Los Encabezados y Pies no pueden verse en Presentación Normal, por lo que para trabajar con ellos hay que estar en Vista Diseño de Página o Preliminar.

A continuación se explica cómo insertar un Encabezado y Pie de Página, cómo eliminarlo, cómo evitar que aparezca en la primera página, etc.

Formato de página · 6

6.1. ¿Cómo insertamos un Encabezado y un Pie de Página?

Para insertar un Encabezado y Pie de Página igual en todas las hojas, seguimos las siguientes instrucciones:

◆ Verificamos que estamos en Presentación Diseño de Página.
◆ En el menú **Ver** elegimos **Encabezado y Pie de Página**.

En la parte superior de la hoja aparece un recuadro con líneas de puntos, y en el medio de la pantalla una Barra de Herramientas como se observa en la **Figura 13**. En el recuadro escribimos los datos del Encabezado.

Figura 13. *Este es el aspecto que tiene la pantalla cuando ingresamos un Encabezado y Pie de página.*

◆ En la Barra de Herramientas pulsamos el botón **Cambiar entre Encabezado y Pie** (Cuarto botón empezando de la derecha).
◆ En el recuadro que aparece, y que corresponde al pie escribimos el Pie de Página y, en la Barra de Herramientas, pulsamos **Cerrar**.

6.2. ¿Cómo modificamos o borramos un Encabezado o Pie?

Para modificar o borrar un Encabezado o Pie primero hay que abrirlo haciendo doble clic sobre él. Dado que no pueden verse en Presentación Normal ni en Diseño de Pantalla, primero hay que pasar a Diseño de Página o Preliminar para visualizarlo y abrirlo. También podemos abrirlo desde el menú **Ver**, eligiendo la opción **Encabezado y Pie.** Una vez abierto el recuadro con el texto del Encabezado hacemos las modificaciones, o directamente borramos todo. Pasamos al Pie utilizando el botón correspondiente y allí también realizamos las modificaciones necesarias. Luego pulsamos el botón **Cerrar**.

6.3. Un Encabezado diferente para la primera página

El caso típico de esto son las carátulas que no llevan ni Encabezado ni Pie. También podemos quitarlo de las hojas pares o impares. Para establecer cualquiera de estas dos configuraciones, lo primero que hacemos es abrir el Encabezado y Pie, y luego proceder así:

En la barra de Herramientas **Encabezado y Pie** que mostramos antes hacer un clic en el botón con forma de libro. Este botón abre el Cuadro de Diálogo **Configurar Página** de la **Figura 15**.

Figura 14. *La eliminación del Encabezado y Pie se inicia en la Barra Encabezado y Pie de Página.*

Seleccionar la ficha **Diseño de Página** y habilitar la opción **Primera Página Diferente** y/o la opción **Pares e Impares Diferentes**, como se muestra en la **Figura 15**.

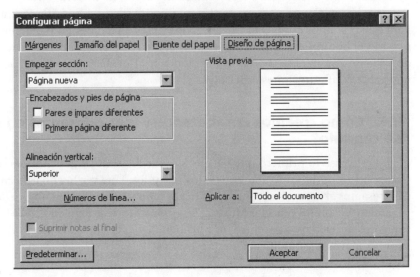

Figura 15. *Aquí se completa la anulación del Encabezado o Pie en la primera página (carátula).*

♦ En la parte superior del documento aparece un recuadro con la inscripción "Encabezado en primera página", como se muestra en la **Figura 16**.

Figura 16. *El Encabezado de la primera página aparece en un recuadro diferente al resto de las páginas del documento.*

♦ Escribir allí la información necesaria para la primera página o bien borrar todo lo que no queremos que aparezca.

♦ En la barra de Herramientas **Encabezado y Pie**, que permanece abierta, pulsar el botón **Mostrar Siguiente,** que tiene el aspecto de la **Figura 17**.

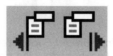

Figura 17. *Este botón permite pasar de un Encabezado a otro.*

♦ Este botón nos lleva al próximo Encabezado o pie, por ejemplo el de las páginas pares, impares, etc. Ingresar en cada uno de ellos la información correspondiente, como por ejemplo el nombre del autor, de la obra, etc.

♦ Pulsar el botón **Cerrar** y supervisar los cambios desde presentación Preliminar.

♦ Para que podamos establecer Encabezados y Pies diferentes no tiene que estar pulsado el botón **Igual que el anterior** de la Barra de Herramientas Encabezado y Pie de Página. Este botón unifica todos los Encabezados y Pies, haciendo imposible configuraciones especiales.

6.4. ¿Cómo creamos Encabezados y Pies diferentes en cada capítulo?

En este caso lo primero que hacemos es dividir el documento en secciones que corresponderán a cada uno de los capítulos. Una vez hecho esto cuando ingresamos al menú **Ver,** comando **Encabezado y Pie**, aparece la Barra de Herramientas con los botones **Mostrar Anterior** y **Mostrar Siguiente**, que son los que nos permiten saltar entre los Encabezados y Pies de cada sección y realizar los ingresos y modificaciones necesarias.

6.5. ¿Qué otra información podemos agregar en el Encabezado y Pie?

La Barra de Herramientas Encabezado y/o Pie cuenta con una serie de botones que nos facilitan el ingreso de información adicional. A continuación, un ejemplo de tres de los botones más importantes de esta barra:

6.5.1. Botón Autotexto

Permite incluir, entre otros, los siguiente datos:

♦ La Página X de un total de páginas Y.

♦ La fecha de impresión del documento.

◆ El nombre del autor.
◆ La ruta de acceso en la que está guardado el documento.

El botón Autotexto nos proporciona una lista de datos para incluir automáticamente en el documento. Podemos escribir, por ejemplo, la opción¯ Página 1 de 10¯.

Recordemos que el texto o los gráficos incluidos en un Encabezado o Pie siempre se alinean a la izquierda, a no ser que nosotros especifiquemos lo contrario.

6.5.2. Botón Insertar Número de Página

Cuando hacemos un clic sobre este botón, agregamos el número correspondiente a la página. Este número aparecerá siempre dentro del Encabezado, de modo que si el Encabezado no está visible en todo el documento, la numeración tampoco lo estará. Más adelante veremos cómo insertar Números de Página independientes del Encabezado o Pie.

6.5.3. Botón Insertar Número de Páginas

Funciona de forma similar al anterior, pero lo que insertamos no es el número de esa página sino el del total de páginas de todo el documento

7. NUMERACIÓN DE PÁGINA

Los Números de Página pueden aparecer como parte de un Encabezado y/o Pie, o de forma independiente. Aquí analizaremos la Numeración de Página independiente del Encabezado y Pie, dado que en la mayoría de los casos se presentan de ese modo.

Antes de explicar cómo se insertan, borran, modifican, etc. los Números de Página, analizaremos cómo funcionan realmente estos números, cómo se actualizan cuando agregamos o quitamos páginas a un documento, etc.

7.1. El Campo Número de Página

Cuando numeramos un documento, *Word* inserta en cada hoja un Campo Número de Página y no un número común. El campo Número de Página se comporta como una variable en la que *Word* escribe una y otra vez el orden de las páginas a medida que el mismo varía. Para ilustrarlo de algún modo podríamos decir que el campo Número de Página es similar a una pizarra que aparece al pie de cada página y en la que *Word* escribe un número. Cuando el usuario agrega o elimina páginas, *Word* borra inmediatamente la pizarra y la actualiza teniendo en cuenta la nueva numeración. Esta actualización de Campo se hace periódicamente luego de evaluar la cantidad total de páginas y reconocer el lugar que ocupa cada una de ellas. La actualización de la Numeración de Páginas es un proceso automático y periódico del que el usuario no participa pero sí es testigo.

Ahora que sabemos cómo se comportan verdaderamente los Números de Página, analizaremos cómo se trabaja con ellos.

7.2. Numerar las Páginas de un Documento

Para insertar números de Página a un documento utilizamos el menú **Insertar.** El proceso de numeración es global, es decir se aplica a todas las páginas, independientemente que tengan o no Encabezados y/o Pies, o que estén delante o detrás de la posición del cursor al momento de la numeración.

Si la primera página es una carátula, y no queremos que aparezca numerada, debemos especificarlo antes, de lo contrario también aparecerá numerada.

El procedimiento para numerar un documento consta de los siguientes pasos:

◆ Ubicar el cursor dentro del documento.
◆ En el menú **Insertar** elegir **Números De Página**.
◆ En el casillero **Posición,** del Cuadro de Diálogo que se muestra en la **Figura 18**, determinar el lugar en donde aparecerá el número. Las opciones son:

   ◆ Parte Superior
   ◆ Parte Inferior

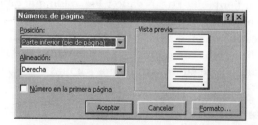

Figura 18. *Esta ventana se usa para numerar un documento.*

◆ En el casillero **Alineación** seleccionar alguna de las siguientes:
   ◆ Izquierda
   ◆ Derecha
   ◆ Centro
   ◆ Exterior
   ◆ Interior

◆ Usar el botón **Formato** para determinar el tipo de numeración deseada, por ejemplo: Letras, Números Romanos, etc.

◆ Deshabilitar el casillero **Número en la Primera Página**, para que la primera página no aparezca numerada.

◆ Para ver la numeración hay que pasar a Presentación **Diseño de Página o Preliminar**.

7.3. ¿Cómo modificamos la posición y el aspecto de los Números de Página?

Cuando modificamos el tamaño, tipo o posición de un sólo número de página, dicha modificación se hace extensiva a todos los demás, más allá de que hayamos tenido contacto con ellos o no. Es como si cada número actuara como representante de todos los demás. La explicación a ésto es que, al modificar el aspecto o la posición de un número en realidad lo que modificamos es el Campo Número de Página. El cambio de formato será registrado automáticamente en todos los lugares en donde esté definido ese campo.

De lo anterior se desprende que para modificar el aspecto de los números de un documento no tenemos que hacerlo uno por uno, sino que con modificar uno sólo, por ejemplo el de la segunda página, ya será suficiente.

Los números pueden arrastrase a cualquier parte de la hoja. Recordemos que con mover uno sólo se moverán todos los demás.

Para modificar el Formato de los Números y moverlos, hay que seguir las siguientes instrucciones:

◆ Verificar que el documento está abierto y activo.

◆ Pasar a Presentación Diseño de Página.

◆ Hacer doble clic sobre cualquiera de los Números de Página del documento.

◆ Verificar que aparece el recuadro Encabezado y/o Pie con el número adentro.

◆ Pulsar con el *Mouse* el número hasta que aparezca rodeado por un marco gris claro.

◆ Utilizar los botones de la Barra de Herramientas Formato para aplicarle color, negritas, aumentar el tamaño, modificar el tipo de carácter, etc.

◆ Mantener pulsado el botón izquierdo del *Mouse* y cuando el puntero tome forma de cuatro cabezas arrastrarlo hasta el lugar de destino, que puede ser cualquier lugar de la hoja.

◆ Cerrar la Barra de Herramientas **Encabezado y Pie**.

En presentación Preliminar o Diseño de Página podremos observar la nueva posición y el nuevo aspecto de la numeración.

Formato de página 6

7.4. ¿Podemos alterar la secuencia de la numeración?

Sí, por ejemplo podemos establecer que la primera página comience con el número cinco y no con el uno como lo haría normalmente. El proceso es el siguiente:

- ♦ Verificar que el documento está abierto y activo.
- ♦ En el menú **Insertar** seleccionar la opción **Número De Página.** Cuando aparece el Cuadro de Diálogo anterior, pulsar el botón **Formato**.
- ♦ En el Cuadro de diálogo **Formato**, que se muestra en la **Figura 19**, habilitar el casillero **Iniciar en** e ingresar un número válido, y luego pulsar **Aceptar**.

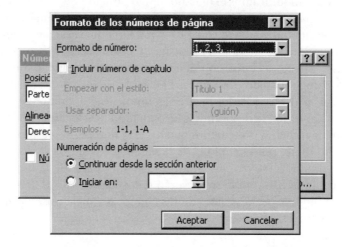

Figura 19. *Aquí se determina la numeración de inicio.*

Si el documento está dividido en varias secciones podemos determinar que la numeración se reinicie en cada sección. Para ello deshabilitamos la opción **Continuar desde la Sección anterior**, en el Cuadro de Diálogo **Formato** que se mostró antes.

PROBLEMAS

1. Martín necesita que las dos primeras hojas de su documento tengan un tamaño de papel especial, pero no sabe cómo realizar esta configuración.

2. Amelia no sabe cómo eliminar un Salto de Página que insertó.

3. Antonio no sabe cómo modificar los márgenes de su documento.

4. Elvira quiere declarar un encabezado con el nombre del consultorio en donde trabaja y no sabe cómo hacerlo.

5. Armando quiere numerar las hojas de su documento pero no sabe cómo hacerlo.

6. Alicia no puede borrar los números de página de su documento.

SOLUCIONES

1. Martín puede proceder del siguiente modo:

   ♦ Insertar un Salto de Página manual para crear la primera página.
   ♦ Mover el cursor unas líneas más abajo e insertar un **Salto de Sección Página siguiente.** Este salto crea una segunda página y además divide al documento en dos secciones. La primera sección estará formada por las dos hojas que necesitan un tamaño especial de papel.
   ♦ Ubicar el cursor en cualquiera de las dos primeras hojas que son las que van a llevar un tamaño especial.
   ♦ En el menú **Archivo**, Cuadro de Diálogo **Configurar Página**, elegir la ficha **Tamaño** e ingresar o seleccionar el tamaño especial que necesitan las dos primeras páginas.

2. Amelia necesita proceder del siguiente modo:

   ♦ Verificar que se encuentra en Vista Normal.
   ♦ Seleccionar la línea de puntos correspondiente al salto de Página Manual que quiere borrar.
   ♦ Pulsar *DEL*(SUPRIMIR).

3. Antonio puede hacerlo desde la regla. Para ello debe proceder del siguiente modo:

   ♦ Verificar que se encuentra en presentación o vista Diseño de Página.
   ♦ Identificar los topes de Márgenes de la regla Horizontal y Vertical.
   ♦ Ubicar el *Mouse* sobre uno de ellos, pulsar el botón izquierdo y mantenerlo pulsado.
   ♦ Pulsar la tecla *ALT* y mantenerla pulsada.
   ♦ Arrastrar el margen hasta la nueva posición.

4. Elvira tiene que:

   ♦ Verificar que se encuentra en Presentación Diseño de Página.
   ♦ En el menú **Ver** seleccionar la opción **Encabezado y Pie**.
   ♦ Escribir los datos para el encabezado.
   ♦ Pulsar el botón **Cerrar**.

5. Armando debe proceder del siguiente modo:

   ♦ Ubicar el puntero en cualquier parte del documento.
   ♦ En el menú **Insertar** seleccionar **Números De Página.**
   ♦ En el casillero **Posición** y en el casillero **Alineación**, del Cuadro de diálogo que aparece, determinar el lugar de los números en la hoja.
   ♦ Pulsar **Aceptar**.

6. Alicia puede proceder del siguiente modo:

   ♦ Ubicar el puntero en cualquiera de las páginas del documento.
   ♦ En el menú **Insertar** seleccionar **Encabezado y Pie**.
   ♦ Cuando se abra el encabezado hacer un clic arriba del número hasta que aparezca rodeado por el marco gris.
   ♦ Pulsar *DEL* (SUPRIMIR).

Formato de página   6

TABULACIONES, TABLAS Y COLUMNAS 7

Tiempo de lectura y práctica:
1 hora y 45 minutos

7

Objetivo de la lección

■ Familiarizarse con el manejo de Tabulaciones, Tablas, y Columnas Estilo Periódico.

1. TABULACIONES

Las Tabulaciones se usan para alinear rápidamente texto o números sin utilizar una tabla. La **Figura 1** muestra cómo queda tabulada una lista de apellidos, nombres y teléfonos. Los datos están distribuidos en tres columnas y la información se lee por filas. Para facilitar la lectura de cada línea existe un relleno, es decir, una línea de puntos uniendo una columna con otra.

Salas Marcelo	Cordoba 2154	Bs.As	125-4587
Farias Mariano	Alende 1547	Capital	458-8965
Soria Graciela	Uspayata 1254	Rosario	154-8965
Chilian Marta	Romero 154	Jujuy	256-8965
Juarez Ana	Don Bosco 122	Sta.Fe	189-8569
Polier Angeles	Ubierte 569	Cordoba	458-9874
Zena Pedro	Callao 543	Capital	365-4125

Figura 1. *Así se ve una porción de texto tabulado.*

Cuando tabulamos texto, la posición de las columnas depende de la ubicación de las Marcas de Tabulación. Las Marcas de Tabulación son pequeñas rayitas grises o negras que aparecen en la Regla Horizontal y que indican el lugar en donde se alineará el texto. El usuario puede mover estas marcas para modificar la posición de las columnas. Más adelante veremos cómo se modifican, eliminan y mueven las Marcas de Tabulación para adaptarlas a las necesidades del usuario y al tipo y cantidad de columnas que necesita.

La tecla TAB es la que lleva el cursor de una Marca de Tabulación a otra. Cuando llegamos a la posición deseada ingresamos el texto. La ubicación del texto respecto de la Marca de Tabulación se conoce como Alineación. A continuación se describen los tipos de Alineaciones posibles:

♦ Alineación Izquierda: El texto se extenderá a la derecha de la tabulación.

♦ Alineación Centrada: El texto se centrará respecto de la tabulación.

♦ Alineación Derecha: El texto se extenderá a la izquierda de la tabulación. Si el texto llena el espacio situado a la izquierda de la tabulación, se extenderá hacia la derecha.

◆ <u>Alineación Decimal</u>: Generalmente se usa para alinear números decimales. La coma o punto del número se alineará respecto de la tabulación. Los números sin coma se extenderán a la izquierda mientras que la parte decimal se ubicará a la derecha de la tabulación.

A la izquierda de la regla existe el cuadrado que se observa en la **Figura 2.**

Figura 2. *Este es el Selector de Alineación situado en el extremo izquierdo de la regla Horizontal*

Se trata de un Selector de Alineación que se utiliza para determinar la alineación de las Marcas de Tabulación Personalizadas. Cuando hacemos un clic sobre este cuadrado, pasamos de un tipo de Alineación a otra. Más adelante veremos cómo utilizar este Selector de Alineaciones.

1.1. ¿Qué tipo de tabulaciones existe en Word?

En Word Existen Tabulaciones Predeterminadas y Tabulaciones Personalizadas. A continuación: la descripción, el modo de uso y las características de cada una de ellas.

1.1.1. Tabulaciones Predeterminadas

Las Tabulaciones Predeterminadas aparecen en todos los renglones del documento sin que el usuario las coloque allí. En la regla Horizontal se ven como rayitas grises casi imperceptibles ubicadas a la misma distancia unas de otras. Las Tabulaciones Predeterminadas tienen las siguientes características:

◆ El usuario no tienen que insertarlas, están siempre presentes y no pueden borrarse. Sólo podemos hacerlas desaparecer temporalmente cuando agregamos Tabulaciones Personalizadas.
◆ Están distribuidas a igual distancia unas de otras. La distancia predeterminada por *Word* es de 1,25 cm pero el usuario puede aumentarla o disminuirla.
◆ No podemos ubicarlas a diferentes distancias unas de otras. Es decir, no podemos conseguir que entre dos de ellas haya por ejemplo 2 cm y entre otras dos haya 4 cm.
◆ Nunca cuentan con relleno.
◆ No podemos darles otra alineación diferente de la que ya poseen.

La **Figura 3** muestra cómo se ven en la Regla Horizontal las Tabulaciones Predeterminadas.

Figura 3. *Así se ven las Tabulaciones Predeterminadas.*

1.1.2. Tabulaciones Personalizadas

Las Tabulaciones Personalizadas son aquellas agregadas por el usuario en la cantidad, tipo y forma más conveniente para su trabajo. Las siguientes son características de las Tabulaciones Personalizadas:

◆ Están presentes sólo si el usuario las inserta.
◆ Se ven como marcas negras sobre la regla Horizontal.
◆ No son uniformes, es decir, pueden aparecer a distancias variables.
◆ Pueden eliminarse por completo.
◆ Se les puede agregar relleno.
◆ Se les puede cambiar la alineación.
◆ Anulan a las Tabulaciones Predeterminadas que se encuentran a su izquierda. Si en algún momento eliminamos las Tabulaciones Personalizadas agregadas, reaparecerán todas aquellas Tabulaciones Predeterminadas ocultas.

Este tipo de Tabulaciones es mucho más flexible que las anteriores. Son las que usamos cuando queremos crear varias columnas que no son uniformes, es decir que no tienen todas la misma distancia entre sí. También son las que usamos cuando queremos agregar un relleno entre columnas o una alineación especial. En la **Figura 4** se ve en la Regla una Tabulación Personalizada con alineación Izquierda.

Figura 4. *Agregue Tabulaciones haciendo un clic en la regla Horizontal.*

1.2. ¿Cómo Tabulamos Texto?

Para tabular texto utilizamos la tecla TAB y cuando el cursor salta a la próxima columna hacemos el ingreso correspondiente.

Si las columnas que vamos a crear están todas a la misma distancia, conviene utilizar las tabulaciones Predeterminadas, es decir las que ya trae el procesador de texto, y modificar la distancia predeterminada por *Word* de modo de adaptarla a nuestras necesidades. Esto se hace del siguiente modo:

◆ Abrimos el documento en el que vamos a trabajar.
◆ En el menú **Formato** elegimos **Tabulaciones.**
◆ En el Cuadro de Diálogo que se observa en la **Figura 5**, en el casillero **Tabulaciones Predeterminadas,** ingresamos o seleccionamos la distancia que tendrán las columnas entre sí, por ejemplo un valor adecuado sería 3 cm.
◆ Salimos Aceptando.

Tabulaciones, tablas y columnas — 7

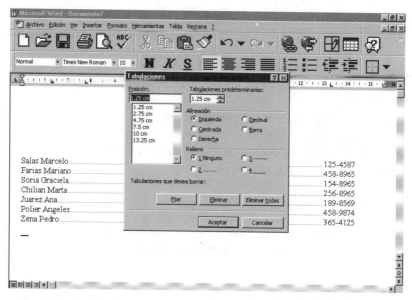

Figura 5. *Configurar aquí la posición de las tabulaciones Predeterminadas.*

En la regla Horizontal las marcas grises aparecerán ahora cada 3 cm. Esta nueva configuración quedará vigente para todo el documento.

Si las columnas que vamos a crear no son uniformes, es decir, si no van a estar a la misma distancia unas de otras, tenemos que trabajar con Tabulaciones Personalizadas. Las Tabulaciones Personalizadas se insertan haciendo un clic sobre la Regla a la altura en la que debe aparecer la columna, por ejemplo a los 5, 10 y 15 cm.

Antes de agregar la primera Tabulación podemos seleccionar el tipo de alineación que tendrá. Esto se hace utilizando el Selector de Alineaciones que existe a la izquierda de la Regla y del que hablamos anteriormente.

Es importante destacar que las nuevas tabulaciones *sólo* estarán vigentes de la posición del cursor en adelante. Si antes de definir las Tabulaciones Personalizadas seleccionamos uno o más párrafos, entonces sólo quedarán vigentes para el o los párrafos seleccionados.

1.3. ¿Y si queremos agregar relleno o modificar la alineación de texto Tabulado?

Como dijimos antes, el relleno es el tipo de carácter que aparecerá en el espacio vacío entre dos Tabulaciones o entre una Tabulación y los márgenes. Los posibles rellenos son:

♦ Puntos
♦ Guiones
♦ Líneas sólidas

Para aplicar un relleno a un texto que ya fue tabulado hay que ubicar el cursor en el párrafo que contiene las Tabulaciones y utilizar el Cuadro de Diálogo **Tabulaciones**, del menú **Formato** que se muestra en la **Figura 6.**

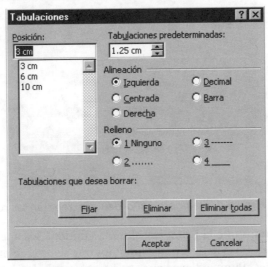

Figura 6. *Aquí se elige el relleno y la posición de una Tabulación.*

Ya en el Cuadro de Diálogo el procedimiento es el siguiente:

♦ Seleccionamos por turno cada una de las Tabulaciones que figuran en la lista.
♦ Habilitamos una opción de Relleno y de Alineación, por ejemplo "Línea de puntos" y Alineación "Izquierda".
♦ Pulsamos el botón **Fijar**.
♦ Procedemos así para cada una de las Tabulaciones de párrafo.
♦ Salimos Aceptando.

1.4. Mover columnas de Texto Tabulado

Cuando las columnas ya están hechas, puede surgir la necesidad de distribuirlas de modo diferente, por ejemplo, mover una columna más cerca o más lejos de otra, etc. Esto se hace arrastrando con el *Mouse* las Marcas de Tabulación a otra posición dentro de la Regla. Si queremos eliminar por completo la tabulación, lo que hacemos es arrastrar la Marca de Tabulación fuera de la Regla, o bien utilizar el botón **Eliminar Todas**, del Cuadro de Diálogo **Tabulaciones** que usamos antes.

Tabulaciones, tablas y columnas   7

1.5. ¿Cómo ordenamos texto Tabulado?

Generalmente lo hacemos alfabéticamente. Para ordenar texto tabulado seleccionamos el párrafo que contiene la lista y en el menú **Tablas** elegimos **Ordenar**. En el Cuadro de Diálogo que se muestra en la **Figura 7** determinamos qué columna se ordenará primero y cual después.

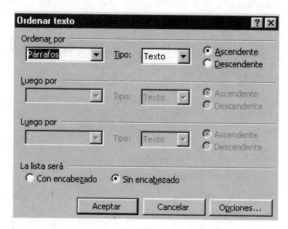

Figura 7. *Elegir aquí el orden que tendrán las columnas.*

Supongamos que la primera columna contiene los apellidos y la segunda los nombres. En este caso determinamos que se ordene primero la Columna 1 y luego la Columna 2 para que, en caso de apellidos repetidos, *Word* se fije en los nombres para decidir cuál va antes. Si las columnas tienen encabezado conviene habilitar la opción **Con Encabezado** para evitar que se ordenen los encabezados con el resto de la información.

Cuando *Word* ordena listas con texto, no sólo tiene en cuenta las letras sino también los números y todo otro tipo de carácter. En este caso las fechas son consideradas números normales. Si las listas a ordenar contienen números, *Word* considera sólo números y pasa por alto todos los demás caracteres. Si lo que *Word* va a ordenar son fechas, sólo considera válidos los siguientes formatos:

FORMATO	EJEMPLO
d/M/a	21/10/93
d de MMMM de aaaa	21 de octubre de 1993
MMMM d, aaaa	Octubre 21, 1993
d-MMM.-aa	21-Oct.-93
MMMM, aa	Enero, 93
MMM.-aa	ene.-93
d/M/aa h:mm AM/PM	21/10/93 10:37 AM

Las fechas en las que no figura el año, pero sí el mes o el día, las toma como pertenecientes al corriente año. Mientras que si lo que no se especifica es el día pero sí el mes y el año, entonces toma como válido el primer día del mes del año especificado.

Todo lo dicho hasta aquí sobre Ordenamiento de Texto Tabulado se aplica también a Tablas, que es el próximo tema que nos ocupa.

2. TABLAS

Las Tablas están formadas por filas y columnas que delimitan Celdas. Las Celdas pueden contener texto, números, gráficos, dibujos, etc. La **Figura 8** muestra una tabla con alguno de estos elementos

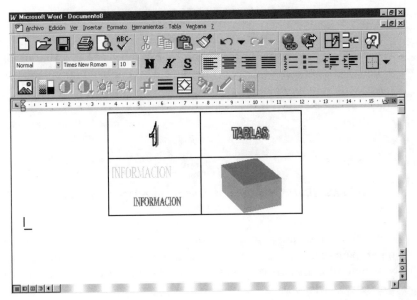

Figura 8. *Las tablas pueden contener otros elementos diferentes de texto.*

Las Tablas pueden o no contener bordes. Si no tienen bordes, igual aparecen delimitadas por líneas de puntos débiles que se denominan Líneas de División. Las Líneas de División sirven de referencia para trabajar con la tabla en pantalla, pero no aparecen impresas. Esto quiere decir que si a una tabla no le ponemos bordes, al imprimir, la información aparecerá distribuida en las celdas, pero no se verá la tabla en sí. El siguiente es un ejemplo del uso que podemos darle a las Líneas de División. Supongamos que creamos un es-

Tabulaciones, tablas y columnas 7

quema que consiste en texto conectado por flechas. En este caso podemos utilizar una tabla para alinear y ordenar el texto, pero no le agregamos Bordes, y trabajamos sólo con las Líneas de División. Al imprimir se verá el texto y las flechas, pero no los límites de las celdas.

2.1. Crear una Tabla

Generalmente utilizamos el botón **Insertar Tabla**, de la barra de Herramientas **Estándar**, que tiene el aspecto de la **Figura 9**. El procedimiento consiste en pulsar el botón izquierdo del *Mouse* sobre este botón y barrer hacia abajo y hacia la derecha hasta abarcar la cantidad de filas y columnas deseadas.

Figura 9. *Un clic en este botón y aparece la tabla.*

También podemos dibujar una tabla utilizando el "Lápiz" de la barra de Herramientas Tablas y Bordes que se muestra en la **Figura 10**. Sin embargo, el lápiz se usa más para dibujar líneas o celdas dentro de una tabla y no la tabla entera. A la derecha del lápiz aparece una goma, si la movemos sobre las líneas de la tabla borramos los bordes.

Figura 10. *No conviene utilizar el lápiz para crear toda una tabla, sino parte de ella.*

Puede ocurrir que al insertar por primera vez una Tabla, no aparezca nada en pantalla. Esto pasa cuando están deshabilitadas las Líneas de División y desactivados los bordes. En este caso, en el menú **Tablas**, elegimos **Mostrar Líneas de División.**

2.2. ¿Cómo eliminamos una tabla?

Para eliminar la tabla en pantalla, hay que seleccionarla eligiendo en **Tablas** la opción **Seleccionar Tabla** y, en el mismo menú, elegir **Eliminar Filas**.

Para eliminar el contenido pero no la tabla, pulsamos la tecla SUPRIMIR (*DEL*) cuando la tabla está seleccionada.

2.3. ¿Cómo trabajamos dentro de una Tabla?

Para ingresar texto pulsamos el botón izquierdo del *Mouse* dentro de la celda y realizamos el ingreso. El texto se ajustará a los bordes laterales de la celda del mismo modo que lo hacen los párrafos a la hoja. Si la información supera el ancho de la celda, *Word* pasará el texto abajo incrementando automáticamente el alto de la fila.

Para movernos entre filas o entre celdas utilizamos el *Mouse* o bien los siguientes Atajos de teclado.

PULSAR TECLA	RESULTADOS
TAB	El cursor salta una celda a la derecha.
	Si el cursor está en la última celda y presionamos TAB, agregamos una nueva fila a la tabla.
SHIFT+TAB	El cursor salta una celda hacia la izquierda.
ENTER	Desplaza el cursor una línea más abajo dentro de la misma celda. Esto hace que aumente el alto de la celda.
FLECHA DERECHA O IZQUIERDA	Desplaza el cursor entre caracteres y entre columnas de la tabla.
FLECHAS ARRIBA O ABAJO	Desplaza el cursor entre caracteres y entre filas.

2.4. Modificar el aspecto del texto que está dentro de la tabla

Al texto de las celdas se lo trata como a cualquier texto del documento. Podemos modificar el tamaño, color y estilo de la letra utilizando las herramientas de la barra de **Formato**.

En esta versión de *Word*, además de centrar texto respecto de la horizontal, podemos hacerlo respecto de la vertical. Esto quiere decir que podemos determinar la altura de la celda en la que aparecerá el texto. Las opciones son arriba, al centro o abajo. Para centrar texto respecto de la vertical hay que seleccionar las celdas a centrar y utilizar los botones que se muestran en la **Figura 11**.

Figura 11. Un clic aquí y se centrará el texto de la tabla seleccionada.

En esta barra también existe un botón denominado **Cambiar Dirección del Texto,** que nos permite establecer que las letras aparezcan acostadas, por ejemplo como lo muestra la **Figura 12:**

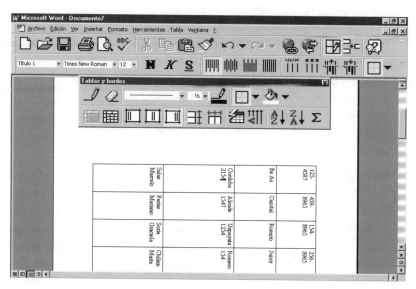

Figura 12. *Así queda el texto de una tabla cuando le cambiamos la dirección.*

Cuando cambiamos la dirección del texto, los botones de la Barra de Herramientas **Formato** se adaptan a la nueva orientación del escrito. Las viñetas se alinean horizontalmente en vez de hacerlo verticalmente, los botones de Alineación cambian la dirección, etc. La **Figura 13** muestra el aspecto del botón que varía la dirección del texto.

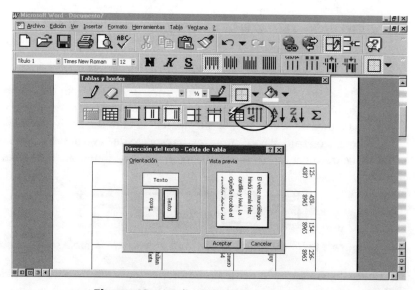

Figura 13. *Un clic en este botón y el texto gira.*

2.5. ¿Cómo modificamos el aspecto de una tabla?

Podemos hacerlo de forma manual o utilizando la función Autoformato. A continuación analizaremos cada caso.

2.5.1. Modificar el aspecto de una Tabla en forma Manual.

Este procedimiento consiste en modificar uno por uno los elementos de la tabla hasta lograr el aspecto deseado para cada uno de ellos. Se entiende por elementos a las filas, columnas, encabezados, bordes, fondo, etc. A continuación se explica cómo modificar los bordes y el fondo de una Tabla.

Modificar los Bordes de una Tabla

Los Bordes de una tabla se modifican seleccionando la tabla y utilizando el botón **Bordes**, de la barra **Tablas y Bordes**, que se muestra en la **Figura 14.**

Figura 14. *Botón Bordes para delimitar una tabla.*

Antes de utilizar el botón **Bordes**, es necesario elegir el tipo, grosor y color de línea que tendrán los bordes que vamos a aplicar. Esto se hace desde los tres botones que se encuentran a la izquierda del botón **Bordes** y que son, de izquierda a derecha: **Estilo de Línea**, **Grosor de Línea** y **Color de borde**, que se muestran en la **Figura 15.**

Figura 15. *Desde estos botones se decide el aspecto del borde antes de aplicarlo.*

El botón **Bordes** es en realidad un muestrario de bordes que se despliega cuando hacemos un clic sobre la flecha que se encuentra a la derecha de este botón. Las opciones más usadas de este muestrario son "Borde Exterior", "Borde Interior" y "Todos los Bordes". Si seleccionamos la tabla y luego elegimos la opción **Todos los Bordes**, la tabla quedará automáticamente delimitada por un borde del tipo, grosor y color elegido antes. A continuación se presenta el botón **Borde** con el muestrario de bordes desplegado.

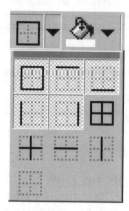

Figura 16. Botón Bordes desplegado.

Modificar el Fondo de una Tabla

El aspecto del fondo de la tabla se modifica seleccionando la tabla y utilizando el botón con forma de balde, de la Barra de Herramientas **Tablas y Bordes** que se muestra en la **Figura 17**. Antes de usar este botón es necesario seleccionar toda la tabla, de lo contrario el fondo sólo se aplicará a la celda que tiene el cursor.

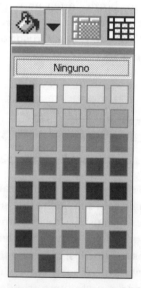

Figura 17. Utilizar el "balde" para llenar de colores las celdas de la tabla.

El fondo de la tabla también puede configurarse utilizando el Cuadro de Diálogo **Bordes y Sombreados** del menú **Formato**. Allí podemos elegir además de un color, una trama, una textura, etc., como lo muestra la **Figura 18.**

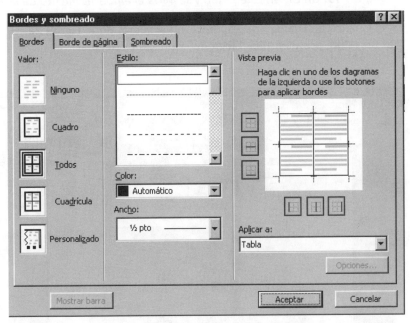

Figura 18. *Aquí se puede elegir más variedad de fondos para la tabla.*

2.5.2. Modificar el Formato de una Tabla utilizando la Función Autoformato

Si no queremos perder el tiempo definiendo el aspecto de cada uno de los elementos de la tabla podemos aplicarle directamente alguno de los formatos predeterminados por *Word*. La función Autoformato aplicará automáticamente a la tabla bordes internos y externos, encabezados en otro color, la última fila diferente al resto, etc. Antes de utilizar esta función tenemos que declarar los Encabezados de la tabla como "Títulos", para que *Word* les dé un formato especial. Esto se hace seleccionando la o las filas con los Encabezados y eligiendo la opción **Títulos** del menú **Tablas**. Luego procedemos del siguiente modo:

- ◆ Ubicamos el cursor en algún lugar de la tabla.
- ◆ Pulsamos el botón **Autoformato**, de la barra Tablas y Bordes, que tiene forma de rayo amarillo y que se muestra en la **Figura 19.**

Tabulaciones, tablas y columnas   **7**

Figura 19. *Un clic en este botón y se inicia el embellecimiento de la tabla.*

◆ En el Cuadro de Diálogo que aparece y que vemos en la **Figura 20** seleccionamos un estilo, por ejemplo "Elegante" y pulsamos **Aceptar**.

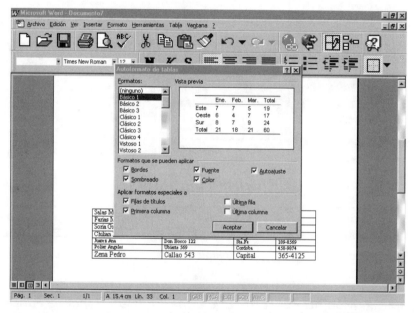

Figura 20. *Elegir aquí el estilo que queremos para nuestra tabla.*

Word asignará el estilo seleccionado a la Tabla, modificando por completo el aspecto de los bordes, fondo, columnas, filas, etc.

2.6. Elementos de una Tabla

Como dijimos antes, las Tablas están formadas por filas y columnas que delimitan Celdas. Los límites de las celdas y de las filas están dados por Marcadores de Fin de Celda y Fin de Fila. Se trata de códigos ocultos con forma de sol que sólo pueden verse pulsando el botón **Mostrar u Ocultar Códigos Ocultos** ubicado en la barra de Herramientas **Estándar**. Normalmente el usuario no entra en contacto con los Códigos Ocultos, pero es bueno que sepa esto para entender algunas explicaciones que se darán más adelante.

La **Figura 21** muestra una tabla con los Códigos Ocultos a la vista.

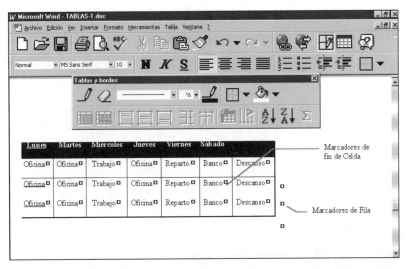

Figura 21. La tabla no se ve así si no habilitamos los Códigos Ocultos.

Antes de meternos de lleno a trabajar con cada uno de los elementos de una tabla es importante saber cómo se seleccionan cada uno de ellos. El siguiente cuadro indica cómo procedemos en cada caso:

ELEMENTO A SELECCIONAR	PROCEDIMIENTO
Texto escrito en la celda	Barrer con puntero Doble T sobre el texto a seleccionar.
Una celda	Ubicamos el puntero a la izquierda de la celda, dentro de la misma y cuando toma forma de flecha inclinada hacemos un clic. También podemos utilizar el Atajo de Teclado CTRL+SHIFT+Flecha derecha o Izquierda
Una columna	Ubicamos el puntero arriba de la columna, en el límite de la tabla. Cuando el puntero toma forma de flecha negra hacemos un clic.
Una fila	Ubicamos el puntero a la izquierda de la fila, fuera de la tabla. Cuando el puntero toma forma de flecha inclinada hacemos un clic
Varias celdas, filas	Ubicamos el puntero a la izquierda del primer elemento o columnas a seleccionar. Cuando el puntero toma forma de flecha inclinada mantenemos pulsado el botón izquierdo y arrastramos el Mouse a lo largo del grupo a seleccionar.

2.6.1. ¿Cómo copiamos y movemos información entre celdas?

Cuando trabajamos con tablas a menudo necesitamos repetir información que ya fue ingresada en otra tabla, por ejemplo, podemos necesitar repetir filas o celdas en dos lugares distintos, o en una misma tabla. En estos casos, en lugar de hacer dos veces el mismo ingreso, copiamos y pegamos, o directamente movemos la información de un lado a otro. Antes de realizar cualquiera de estas dos operaciones es importante tener en cuenta lo siguiente:

A. Sí el área de Origen no coincide con el área de Destino, la operación no se llevará a cabo y aparecerá un mensaje de error. Por ejemplo, si el lugar de donde copiamos o cortamos la información es una fila de 4 celdas y el lugar a donde vamos a pegarla sólo tiene dos celdas libres, la operación no podrá concretarse hasta tanto no liberemos dos celdas más.

B. Si junto con el contenido de las celdas movemos o copiamos el Marcador de Fin de Celda o el Marcador de Fila, la información llevará consigo el formato y NO tomará el formato existente en el lugar de destino. Por ejemplo, si copiamos texto escrito en negritas de una tabla, a otra que no contenía negritas, el formato se perderá a no ser que copiemos además del texto el Marcador de Fin de Celda o Fila.

Existen varias técnicas para mover o copiar texto dentro de una misma tabla o entre tablas diferentes. A continuación se desarrollan las dos más usadas.

Mover o copiar información utilizando el Mouse
Para Mover o Copiar información utilizando el *Mouse* procedemos así:

♦ Seleccionamos el o los elementos a copiar o cortar. Por ejemplo, seleccionamos una o más filas, una o más columnas, una o más celdas, etc.
♦ Ubicamos el puntero sobre el o los elementos seleccionados y pulsamos el botón izquierdo del *Mouse*. Si lo que queremos es copiar, además presionamos la tecla CTRL.
♦ Arrastramos el *Mouse* hasta el lugar de destino.
♦ Soltamos el botón izquierdo del *Mouse*. En el caso de copiado también soltamos la tecla CTRL.
♦ Verificamos que la información saltó de un lugar a otro o se duplicó.

Mover o copiar información utilizando el Teclado
En este caso trabajamos así:

♦ Seleccionamos el o los elementos de la tabla como explicamos antes.
♦ Presionamos simultáneamente las teclas CTRL+X (Cortar) o CTRL+C (Copiar)
♦ Ubicamos el cursor en la primera celda del lugar de destino.
♦ Presionamos simultáneamente las teclas CTRL+V (Pegar).

◆ Observamos cómo la información se duplicó o simplemente saltó del lugar de origen al lugar de destino.

Para realizar este tipo de operaciones entre tablas que se encuentran en dos documentos distintos será necesario abrir los dos documentos, copiar o cortar del documento origen, como ya se indicó, pasar al documento destino utilizando CTRL+F6, ubicar el cursor en el lugar adecuado y luego pegar.

2.6.2. ¿Cómo agregamos o eliminamos celdas, filas o columnas?

Antes de agregar o eliminar cualquiera de estos elementos hay que seleccionar la celda, columna o fila vecina al nuevo elemento a agregar o bien seleccionar el elemento a eliminar. Una vez seleccionado el elemento correspondiente pulsamos el botón derecho del *Mouse*. En el menú contextual que se muestra en la **Figura 22** elegimos **Insertar...** o **Eliminar...** dependiendo de lo que queramos hacer.

Figura 22. *Un clic con el botón derecho del Mouse arriba de la selección y podremos agregar o quitar filas, columnas, celdas, etc.*

Para insertar dos columnas, al seleccionar las dos columnas vecinas a las nuevas y hacer un clic con el botón derecho del *Mouse*, aparecerá la opción **Insertar Columnas**. Cuando elegimos esta opción, *Word* nos pregunta hacia dónde mover las columnas vecinas. Generalmente aceptamos la opción Predeterminada que es: "Hacia la Izquierda".

2.6.3. ¿Cómo modificamos el ancho de una columna?

Para variar el ancho de una columna generalmente utilizamos el *Mouse*. El procedimiento es el siguiente. Seleccionamos la columna cuyo ancho queremos variar, y ubicamos el puntero sobre el límite que vamos a mover (puede ser el lado izquierdo o derecho). Cuando el puntero toma forma de ¨sandwich de flechas¨ arrastramos hacia la derecha o izquierda como se muestra en la **Figura 23.** Si simultáneamente pulsamos la tecla *ALT* aparecerá la medida de la columna en la regla Horizontal.

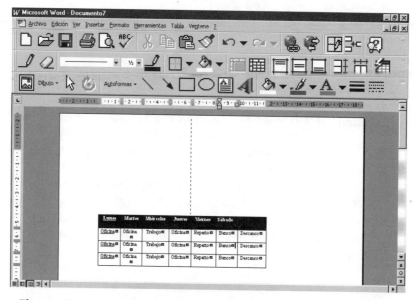

Figura 23. *Así se ve la pantalla cuando variamos el ancho de una columna.*

2.6.4. ¿Cómo establecemos una medida uniforme para todas las columnas o filas?

A esto se lo denomina "Unificar el ancho de las Columnas" o bien "Unificar el alto de las filas". Para hacerlo necesitamos:

♦ Seleccionar toda la tabla.
♦ Pulsar el botón derecho del *Mouse*.
♦ En el menú contextual que se muestra en la **Figura 24**, elegir **Distribuir Columnas Uniformemente** o **Distribuir filas Uniformemente**

Figura 24. *Un clic aquí y todas las columnas quedarán del mismo tamaño.*

2.6.5. ¿Cómo determina Word el Alto de las Filas de una tabla?

Word regula automáticamente el alto de las filas teniendo en cuenta las siguientes variables:

♦ La cantidad de texto que existe en las celdas: el alto disminuirá o aumentará automáticamente a medida que quitemos o ingresemos líneas de texto a las celdas.
♦ El tamaño de fuente utilizado: a mayor tamaño de Fuente mayor altura de fila.
♦ El ancho de las columnas: Columnas finitas tendrán filas altas.

Para determinar otro valor, diferente del fijado automáticamente por *Word*, procedemos del siguiente modo:
♦ Pasamos a Presentación Diseño de Página.
♦ Seleccionamos la fila cuyo alto vamos a modificar.
♦ Ubicamos el puntero arriba del Tope de Fila, que es el límite de la fila que aparece en la Regla Vertical. Mantenemos pulsado el botón izquierdo del *Mouse* y la tecla *ALT* y arrastramos el *Mouse* hasta la nueva posición.

El tope de fila tiene el aspecto de la **Figura 25**.

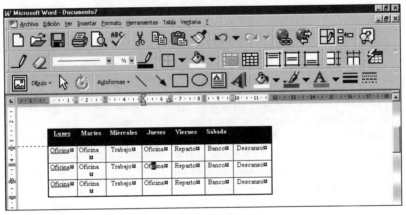

Figura 25. *Así se ve una tabla cuando modificamos el alto de una de sus filas.*

También podemos asignarle una medida exacta al alto de fila, de modo que *Word* no pueda aumentar o disminuir ese valor automáticamente. Esto generalmente se hace para lograr tablas simétricas. Cuando asignamos un valor exacto para el alto de una fila, el texto ingresado corre el riesgo de aparecer cortado, si el tamaño de fuente o la cantidad ingresada supera al alto designado para la fila. Por el contrario, si seleccionamos un valor mínimo, nos aseguramos de que el alto de fila no descienda de ese valor, pero que tampoco quede fijo al punto de cortar texto que sobrepase una medida determinada.

Para establecer una medida exacta para el alto de varias filas procedemos del siguiente modo:

♦ Seleccionamos todas las filas cuyo alto vamos a modificar.

♦ En el menú **Tabla** seleccionamos **Alto y Ancho de Celda**.

♦ En el Cuadro de Diálogo de la **Figura 26** elegimos la ficha **Fila**.

♦ En el casillero **Alto de fila** ingresamos la opción **Exacto**.

♦ En el casillero **En** ingresamos o seleccionamos el valor adecuado.

♦ Pulsamos **Aceptar**.

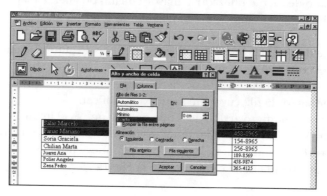

Figura 26. *Aquí configuramos un valor exacto para las filas de la tabla.*

El ingreso tiene que estar dado en puntos. Un punto es aproximadamente 0.034cm.

2.6.6. ¿Cómo dividimos y fusionamos celdas?

Es muy común que la distribución de una tabla requiera que dos celdas independientes se transformen en una o viceversa.

Para dividir o fusionar celdas las seleccionamos y luego hacemos un clic con el botón derecho del *Mouse*. En el menú contextual que aparece elegimos **Combinar Celdas** o **Dividir Celdas**. La **Figura 27** muestra el aspecto que tiene el menú contextual desde donde hacemos esta operación.

Figura 27. *Para fusionar celdas hay que seleccionarlas y luego hacer un clic con el botón derecho del Mouse.*

2.7. Más sobre Tablas

2.7.1. ¿Cómo centramos una tabla en el medio de la hoja?

Esto significa centrarla horizontal y verticalmente. Para centrarla horizontalmente tenemos que proceder del siguiente modo:

- Seleccionar la tabla.
- En el menú **Tabla** elegir la opción **Alto y Ancho De Celda**.
- En el Cuadro de Diálogo que se muestra en la **Figura 28** habilitar **Alineación Centrada** y luego pulsar **Aceptar**.

Figura 28. *Un clic en el casillero Centrada para centrar la tabla seleccionada.*

Para centrarla verticalmente el procedimiento es el siguiente:

- Seleccionamos la tabla.
- En el menú **Archivo** elegimos **Configurar Página.**
- En la ficha Diseño de página, en el casillero **Alineación Vertical**, habilitamos la opción **Centrada** y pulsamos **Aceptar** como se muestra en la **Figura 29.**

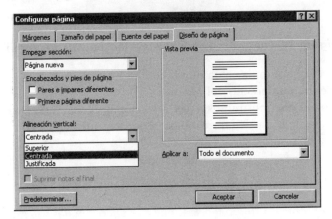

Figura 29. *Utilizar esta ventana para centrar la tabla en el medio de la hoja.*

2.7.2. ¿Podemos dividir en dos una tabla?

Podemos dividirla en dos, tres o cuatro partes, en cualquier punto que sea necesario. Generalmente lo hacemos para incluir una referencia o texto en tre las mitades de la tabla. Antes de dividir una tabla conviene especificar cuáles son los encabezados, para que *Word* los repita en la otra mitad. Para dividir una tabla y conservar los encabezados en ambas mitades hay que proceder del siguiente modo:

♦ Seleccionar la o las filas con los encabezados.
♦ Pulsar el botón derecho del *Mouse* y en el menú Tablas que se muestra en la **Figura 30** seleccionar la opción **Títulos**. Esto hará que *Word* entienda cuáles son los Encabezados y luego de la división los copie en la otra mitad de la Tabla.

Figura 30. *Los títulos evitan que una tabla pierda sus encabezamientos.*

♦ Ubicar el cursor en la celda donde tendrá lugar la división.
♦ Pulsar el botón derecho del *Mouse*.
♦ En el menú que mostramos antes, seleccionar el comando **Dividir Tabla**.
♦ Observar que la partición tuvo lugar y que los encabezados de columna aparecen en ambas mitades.

Cuando un Salto de Página cae en el medio de una tabla la divide en dos. Si los encabezados de la tabla fueron declarados como títulos, aparecerán escritos en las dos mitades. Para que una tabla no sea dividida por un Salto de Página Automático conviene forzar un Salto de Página Manual antes de la tabla, de modo de obligarla a pasar entera a la página siguiente.

2.7.3. Cálculos con tablas

Si el contenido de las tablas es numérico, podemos realizar cálculos matemáticos utilizando sus filas y columnas. Antes de explicar cómo se hace esto definiremos algunos términos necesarios para entender este tipo de operaciones.

Rangos de Celdas

Un rango de celdas es un grupo de celdas que tienen, por ejemplo, la siguiente nomenclatura (A1: A5). En los rangos de celdas las letras representan las columnas, los números representan las filas y los dos puntos son el separador entre la primera y la última celda del rango. En el ejemplo de la tabla siguiente el rango irá de la celda ubicada en la primera columna, primera fila (ITEMS) hasta la celda ubicada en la primera columna, quinta fila (TOTAL).

Otros rangos muy usados son los que abarcan toda una columna y podemos escribirlos como B1: B1, o C1: C1, o bien utilizando el nombre de la columna. En el ejemplo que figura abajo el rango (B2: B4) podría escribirse como "MONTO" y *Word* entendería inmediatamente qué columna tomar.

ITEMS	MONTO
Fotocopias	1,5
Utiles	2,0
Papeles	5,0
Total	8,5

Cuando un Rango de Celda abarca dos o más celdas y no toda una secuencia, el separador que se utiliza es la coma. Un ejemplo de esto es la siguiente fórmula =PROMEDIO (B2, B3) que saca el promedio entre los números ubicados en la segunda columna, segunda fila y el de la segunda columna, tercera fila (2,0 y 1,5).

Fórmulas

Las fórmulas de tablas, al igual que las fórmulas Matemáticas, son las que utiliza *Word* para realizar los cálculos. En *Word*, una fórmula siempre va precedida por el signo Igual (=) y seguida del nombre de la fórmula y del rango al que se aplicará dicha fórmula. En el ejemplo que se muestra a continuación la fórmula =SUMA (A2: A4) sumará los números 12,13 y 14.

12	21
13	22
14	23
=SUMA(A2: A4) 2184	

Una vez escrita la fórmula, ésta desaparece automáticamente y es reemplazada por su resultado. La tabla del ejemplo anterior contiene una fórmula para sumar la columna A, pero esto no se ve en la realidad, ya que siempre el resultado reemplaza automáticamente a la expresión de la fórmula. Esto es lo que ocurre en la columna B, donde el número 2184 no es otra cosa que el resultado de la fórmula =PRODUCTO (B2: B4). Para distinguir si un número que figura en una tabla es un número común o el resultado de una fórmula hay que seleccionarlo. Si aparece rodeado de un marco gris es el resultado de una fórmula, mientras que si se selecciona como cualquier texto se trata de un número común.

Para ingresar Fórmulas en una Tabla primero hay que ubicar el cursor en el lugar de la Tabla en donde aparecerá el resultado de la fórmula y luego proceder del siguiente modo:

♦ En el menú **Tabla** elegir la opción **Fórmula**.
♦ En el Cuadro de Diálogo que se muestra en la **Figura 31**, aceptar o no la sugerencia de Fórmula y el Rango propuesto por *Word*.

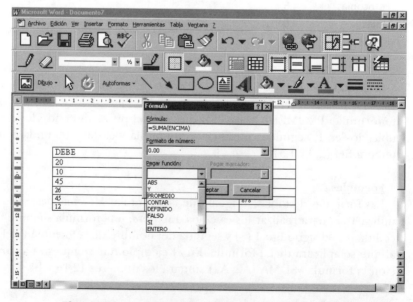

Figura 31. *Las fórmulas permiten hacer cálculos con tablas.*

◆ Si la sugerencia no es la adecuada, seleccionar una fórmula de las que figuran en el casillero **Pegar Función** y luego escribir el Rango adecuado teniendo en cuenta lo explicado anteriormente.

◆ Pulsar **Aceptar**.

2.7.4. Convertir texto común en tabla y viceversa.

Muchas veces vemos que una información que fue ingresada como texto quedaría mejor con forma de Tabla. La primera reacción que surge ante esto es crear la tabla y copiar todo adentro. Sin embargo, si el texto fue tabulado, separado por comas, puntos, o cualquier otro separador, *Word* puede realizar la conversión automáticamente. En estos casos, los separadores como la coma, el punto, el doble punto, etc. serán tomados como Marcadores de Fin de Celda y cada párrafo del escrito a su vez pasará a ser una fila. Para ilustrar lo anterior se muestra cómo *Word* convirtió en tabla el recorrido a seguir por un operario de la limpieza. El mismo fue escrito despreocupadamente, separando cada sector a limpiar por una coma. *Word* aprovechó estos separadores para crear las celdas de la tabla, y cada línea del texto pasó a ser una fila. La **Figura 32** ilustra cómo la conversión mejoró la facilidad de lectura y la prolijidad del esquema.

HORARIO DE LA SEMANA
LUNES: Oficina, Reparto, Deporte
MIERCOLES: Trabajo, Oficina, Estudio
JUEVES: Oficina, Reparto, Deporte
VIERNES: Reparto, Oficina, Estudio

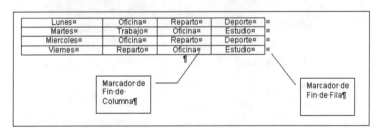

Figura 32. *Así se ve un horario semanal representado por una tabla.*

Antes de convertir texto común en una Tabla es necesario repasar la consistencia de los separadores de texto. Esto significa evaluar la posición de las comas, los dobles puntos, etc. Si faltan o sobran separadores hay que agregarlos o quitarlos. Una vez supervisados los separadores la conversión se lleva a cabo desde el menú **Tablas** eligiendo **Convertir Texto en Tabla**. El Cuadro de Diálogo de la **Figura 33** sugiere la cantidad de columnas y filas de acuerdo a la evaluación de los separadores. Abajo a la izquierda del Cuadro hay que establecer qué marcadores se están tomando como referencia.

Tabulaciones, tablas y columnas · 7

Figura 33. *Word sugiere la cantidad de columnas y filas para la tabla.*

Así como *Word* convierte texto en tabla, también puede realizar la conversión inversa. El procedimiento en este caso es el siguiente:

♦ Ubicamos el cursor dentro de la tabla.
♦ En el menú **Tabla** elegimos **Seleccionar Tabla**.
♦ Una vez que la tabla aparece resaltada, elegimos **Tabla** y luego **Convertir Tabla en Texto**.
♦ En el **Cuadro de Diálogo** que se muestra en la **Figura 34** seleccionamos el separador más adecuado para el texto que se encuentra en las celdas. Las opciones son "Tabulaciones", "Doble Punto", "Punto y Coma", "Otros" (en este último caso nosotros escribimos el separador deseado). Si seleccionamos una coma, los Marcadores de Fin de Celda serán reemplazados por comas, mientras que los Marcadores de Fila marcarán el comienzo y fin de los párrafos.

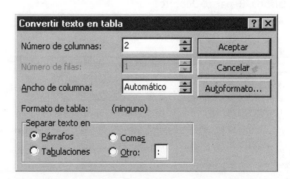

Figura 34. *Esta ventana se usa para convertir un texto en tabla.*

2.7.5. ¿Podemos utilizar una tabla como una pequeña Base de Datos?

Podemos hacerlo sin problemas, pero antes de explicar el procedimiento analizaremos qué es una Base de Datos. Una Base de Datos es un archivo que contiene Registros. Un registro es una fila con información de un solo ítem, por ejemplo, la primera fila de una Base de Datos de clientes puede contener toda la información del señor Eduardo Pérez. Esta información está distribuida en Campos de Registro, que son los rubros que contienen la información. Así por ejemplo, en el registro de Eduardo Pérez habrá un Campo de Registro con el nombre de ese cliente (en este caso Eduardo), otro que guarde el apellido, otro con la dirección, etc. Es decir, el apellido, nombre y dirección del Sr. Pérez aparecerán en el primero, segundo y tercer Campo de Registro. Si lo viéramos como una tabla, el nombre, apellido y dirección de Eduardo Pérez aparecerían en la primera fila, en las columnas uno, dos y tres respectivamente.

Esto significa que en una Base de Datos hay tantos registros y tantos Campos de Registros como filas y columnas tiene una tabla con esa misma información. Esto es lo que permite a *Word* tratar una tabla como si fuera una Base de Datos. Las filas hacen las veces de registros, mientras que las columnas son los Campos de Registro. Las Bases de Datos creadas en *Word* podrán utilizarse sin ningún problema en otras aplicaciones como Access, Excel, etc.

Para trabajar con una tabla como si fuese una Base de Datos tenemos que ubicar el cursor dentro de la Tabla, luego mostrar la barra de herramientas **Base de Datos** y hacer un clic en el primer botón, que se denomina **Ficha de Datos**, que se muestra en la **Figura 35** con forma de lápiz.

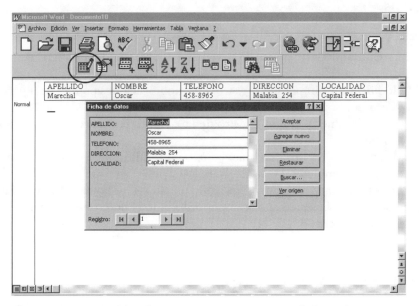

Figura 35. *Botón Ficha de Datos. Se usa para armar la base de Datos.*

Tabulaciones, tablas y columnas **7**

Los registros aparecerán en una ventana independiente para facilitar el ingreso, modificación y búsqueda de datos. En la **Figura 35** se muestra una fila de una tabla tratada como un registro.

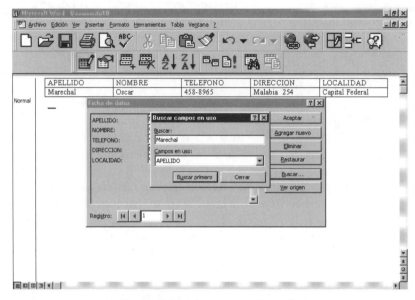

Figura 36. *Así se ve una Base de Datos.*

Utilizando los botones de la ventana anterior podemos:

♦ Modificar los campos del registro. Las modificaciones podrán ser guardadas o descartadas pulsando los botones **Aceptar** o **Restaurar**.
♦ Saltar al primer y último registro de la tabla. Esto se hace utilizando los botones con forma de flechas dobles.
♦ Movernos un registro hacia adelante o atrás utilizando los botones con forma de flechas simples.
♦ Ingresar y eliminar registros haciendo un clic en los botones **Nuevo** y **Eliminar**.
♦ Realizar una búsqueda por campos utilizando el botón **Buscar**, como se muestra en la **Figura 36**.

3. COLUMNAS ESTILO PERIÓDICO

Cualquiera que haya leído alguna vez un diario o una revista (quién no lo hizo) sabe que el texto está organizado en columnas. Esto es así para aprovechar mejor los espacios, intercalar fotos o ilustraciones entre las columnas, mejorar la estética y la didáctica y dar una apariencia más dinámica a la hoja.

Cuando leemos este tipo de publicaciones sabemos que debemos empezar por la primera columna de la izquierda y continuar en la parte superior de la columna de la derecha. Cuando terminamos la hoja sabemos que hay que pasar a la primer columna de la página siguiente o saltar hacia donde esté indicado el final de la página anterior. A este tipo de distribución de texto se la denomina Columnas Estilo Periódico.

En *Word* también podemos organizar nuestro documento de ese modo. Una vez creadas las columnas podremos intercalar dibujos entre ellas, una línea separadora, un Cuadro de Texto, etc. También podremos modificar el ancho de cada columna, aumentar o disminuir el espacio entre ellas, personalizar el lugar donde se corta la primera y sigue la segunda, etc. En la **Figura 37** se muestra el aspecto que tienen las Columnas Estilo Periódico .

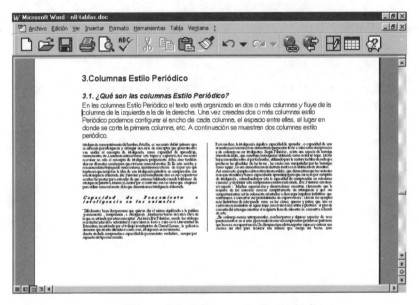

Figura 37. *Columnas Estilo Periódico.*

Antes de empezar a trabajar con este formato es importante destacar que en Presentación Normal o Diseño de Pantalla no se ven las Columnas Estilo Periódico y sólo vemos el texto amontonado a la izquierda, como se ve en la **Figura 38**. Para diseñar y evaluar la distribución de las columnas es necesario estar siempre en Presentación Diseño de Página o Preliminar.

Tabulaciones, tablas y columnas

7

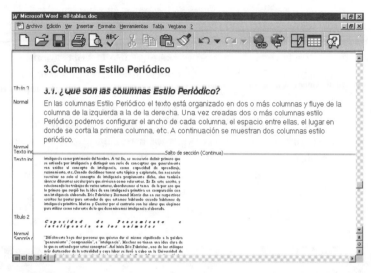

Figura 38. *Así se ven las Columnas Estilo Periódico en Presentación Normal.*

3.1. ¿Cómo convertimos texto común en Columnas Estilo Periodístico?

Para que parte del documento que ya está escrito quede en columnas y el resto siga igual, procedemos del siguiente modo:

♦ Abrimos el documento.
♦ Pasamos a Presentación Diseño de página.
♦ Seleccionamos el texto que va a quedar en columnas.
♦ Pulsamos el botón **Columnas**, de la barra de Herramientas **Estándar**, que se muestra **Figura 39**. Con el botón izquierdo del *Mouse* pulsado arrastramos hacia la derecha hasta seleccionar el número de columnas deseado.

Figura 39. *Así se insertan las Columnas Estilo Periódico.*

Cuando soltemos el botón izquierdo, el texto quedará automáticamente distribuido en dos o más columnas según lo elegido. De forma simultánea *Word* insertará dos Saltos de Sección, uno al comienzo del párrafo y otro al final. Esto creará una sección que se diferenciará de la existente en el tipo de distribución del texto. Al final de la operación, el documento quedará dividido en tres partes, la primera y la última pertenecientes a la Sección 1, con el texto distribuido normalmente; la del medio perteneciente a la Sección 2, con el texto distribuido en Columnas.

3.2. Escribir todo el documento en columnas

En este caso configuramos todas las páginas con el formato Columnas Estilo Periódico. A medida que escribimos, el texto llenará todas las columnas de una página y luego pasará a la primera columna de la página siguiente. Para que todo el documento tenga formato de columnas es necesario:

♦ Ubicar el cursor al comienzo de la hoja en blanco.
♦ En el menú **Formato** seleccionar la opción **Columnas**.
♦ En el Cuadro de Diálogo que se muestra en la **Figura 40** ingresar la Cantidad de Columnas, por ejemplo 3.

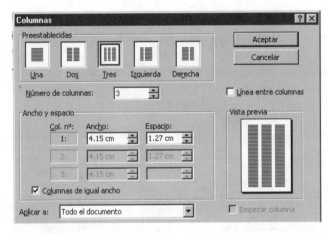

Figura 40. *Este es otro modo de crear Columnas Estilo Periódico.*

♦ En el casillero **Aplicar a** seleccionar la opción **Todo el Documento**.
♦ Pulsar el botón **Aceptar**.

El lugar en donde termine una columna y comience otra dependerá del número de columnas elegidas, del ancho de cada columna, del espacio entre ellas, etc. Todos estos parámetros los elige *Word* de forma automática teniendo en cuenta el ancho de los márgenes, la cantidad de columnas elegidas por el usuario, etc. Si no nos conforman, podemos modificarlos manualmente como se indica a continuación.

3.2.1. Configurar Columnas Estilo Periódico desde la Regla

Cuando el aspecto de las columnas que vemos en pantalla no nos conforme podemos modificarlo utilizando la Regla. Si no nos gusta el ancho de cada columna podemos variarlo arrastrando con el *Mouse* el Límite de Columna como se muestra en la **Figura 41**.

Tabulaciones, tablas y columnas 7

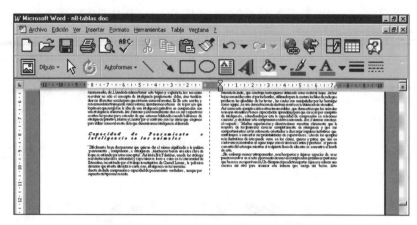

Figura 41. *Así se arrastra un tope de columna.*

Si simultáneamente pulsamos la tecla *ALT* aparecerá, en la Regla, el valor de la columna en cm. Los otros elementos que aparecen junto al tope de columna se muestran en la **Figura 42**.

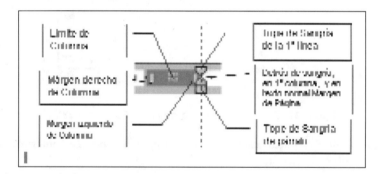

Figura 42. *Elementos de un tope de columna.*

3.3. ¿Cómo convertimos Columnas Estilo Periódico en texto Normal?

Para eliminar las columnas y volver al texto normal procedemos así:

◆ Seleccionamos las columnas a eliminar.
◆ Pulsamos el botón **Columnas**, de la barra de Herramientas **Estándar**.
◆ Arrastramos el *Mouse* hasta abarcar una sola columna.

3.4. Forzar el paso de una columna a otra

Para hacer que el texto pase a la siguiente columna tenemos que forzar un Salto de Columnas. Esto se hace desde presentación Diseño de página del siguiente modo:

◆ Ubicamos el cursor en donde terminará la columna.

◆ En el menú **Insertar** seleccionamos **Salto**.

◆ En el Cuadro de Diálogo que se muestra en la **Figura 43** habilitamos la opción Salto de Columna y pulsamos Aceptar.

◆ Word moverá el texto situado a continuación del cursor a la parte superior de la columna siguiente.

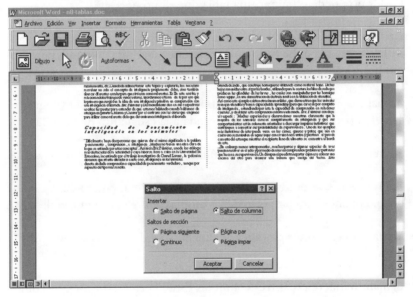

Figura 43. *Así insertamos un salto de columna.*

Tabulaciones, tablas y columnas

7

PROBLEMAS

1. Alberto está trabajando con texto distribuido en tres columnas. Utilizó tabulaciones Personalizadas a cinco, diez y quince centímetros del margen izquierdo e ingresó el texto. Ahora se da cuenta de que la primera columna se amontona mucho con la segunda y que esta última queda muy alejada de la tercera. Como tiene miedo de perder todo, lo deja así.

2. Mariana quiere modificar la alineación de las Tabulaciones antes de declararlas, pero no sabe cómo hacerlo.

3. Ana inserta una tabla pero no aparece nada.

4. Carlos no puede eliminar una tabla que ya no necesita.

5. Guillermo está construyendo una tabla de cinco filas y diez columnas. A partir de la tercera fila debe fusionar la primera y segunda columna pero no sabe cómo hacerlo.

6. Aníbal no sabe cómo sumar la última columna de su tabla y lograr que el resultado aparezca en una celda anexada a la estructura de la tabla.

7. Silvia no sabe cómo agregar una última fila a la tabla que acaba de declarar.

8. Andrés tiene que presentar un trabajo que contiene varias tablas. Como no tiene tiempo de mejorar el aspecto de las mismas, entrega un trabajo de baja calidad.

9. Marta no sabe cómo modificar el ancho y el alto de las columnas y filas de su tabla.

10. Benjamín quiere crear tres columnas Estilo Periódico y no sabe cómo hacerlo.

SOLUCIONES

1. Para solucionar el problema sin perder la información, Alberto puede seleccionar el párrafo que contiene las Tabulaciones y en la Regla Horizontal arrastrar la segunda tabulación más cerca de la tercera. Esto desplazará automáticamente la segunda columna mejorando la distribución.

2. Sobre el extremo izquierdo de la regla Horizontal existe un selector de Alineaciones. Cuando hacemos un clic allí pasamos por todos los tipos de Alineaciones posibles.

3. Es probable que estén desactivadas las Líneas de División. Esto provoca que no pueda verse la tabla ingresada a pesar de estar en pantalla. Ana debe elegir **Tabla** y luego **Mostrar Líneas de División** para habilitar la cuadrícula que delimita la tabla.

4. Para eliminar una tabla hay que seleccionarla con el *Mouse* o con los comandos **Tabla / Seleccionar Tabla** y en el menú **Tablas** elegir **Eliminar Filas.**

5. Guillermo puede proceder del siguiente modo:

   ♦ Insertar una tabla de 5 x 10.
   ♦ Seleccionar la primera y segunda columna desde la fila tres hasta el final.
   ♦ Pulsar el botón derecho del *Mouse* y seleccionar la opción **Combinar Celdas.**

6. Aníbal tiene que hace lo siguiente:

   ♦ Ubicar el cursor en la última celda de la columna a sumar.
   ♦ En el menú **Tabla** seleccionar **Fórmula.**
   ♦ Aceptar la sugerencia =SUMA (ENCIMA).
   ♦ Con el ¨Lápiz¨ de la barra Tablas y Bordes dibujar la celda anexa a la tabla.
   ♦ Copiar la suma a esa celda.

7. Silvia tiene que ubicar el cursor en la última celda y pulsar la tecla *TAB*.

8. Seguramente Andrés no sabe utilizar la función Autoformato de Tabla, que permite que *Word* mejore el aspecto de una tabla en sólo unos pocos segundos.
   Para usar esta función hay que:

   ♦ Ubicar el cursor dentro de la tabla.
   ♦ Pulsar el botón derecho del *Mouse* y en el menú contextual que aparece seleccionar la opción **Autoformato.**
   ♦ Elegir un modelo de tabla de los que figuran en la lista.

♦ Pulsar **Aceptar**.

♦ Repetir esta operación para cada una de las tablas del documento.

9. Marta tiene que pasar a presentación Diseño de Página y proceder del siguiente modo:

♦ Seleccionar por turno cada una de las columnas y arrastrar con el *Mouse* la línea de puntos que marca el límite de columna.

♦ Para modificar las filas puede arrastrar los Topes de Fila que aparecen en la regla Vertical (siempre con el cursor dentro de la tabla).

♦ Pulsando la tecla *ALT* mientras arrastra el *Mouse* puede ver las medidas.

10. Benjamín debe proceder del siguiente modo:

♦ Escribir lo que aparecerá en las columnas.

♦ Seleccionar el texto y pasar a Vista Diseño de Página.

♦ Con el texto aún seleccionado, pulsar el botón **Columnas** de la barra de Herramientas **Estándar** y arrastrar el *Mouse* hasta cubrir tres columnas.

APÉNDICE
EL TECLADO

1

Teclado

1. LAS TECLAS Y SUS FUNCIONES

TECLAS DE ESCRITURA	
ENTER (INGRESO)	Baja texto/Agrega líneas en blanco.
BACKSPACE(RETROCESO)	Borra texto a izquierda/Elimina líneas en blanco.
SHIFT(MAYUSCULA)	Permite ingresar la primera letra en mayúscula.
ALT y CTRL	Combinadas con otras teclas ejecutan acciones(Ej.Ctrl+S subraya texto seleccionado).
CAPS LOCK (BLOQUEADOR DE MAYUSCULA)	Pasa el teclado a modo mayúscula.
TAB(TABULADOR)	Obliga al cursor a saltar siempre a la misma distancia. Se usa para crear columnas.

TECLAS ADICIONALES	
DELETE (SUPRIMIR)	Borra texto a derecha.
INSERT (INSERTAR)	Pasa el teclado a modo Sobreescritura. El texto ingresado borrara al existente.
HOME(INICIO)	Lleva el cursor al comienzo de la línea.
END (FIN)	Lleva el cursor al final de la línea.
PAGE UP(AVANZAR PAGINA)	Lleva el cursor al comienzo de la pantalla.
PAGE DOWN (BAJAR PAGINA)	Lleva el cursor al final de la pantalla.
Y LAS FLECHAS DE DIRECCIONAMIENTO.	Mueven el cursor hacia arriba, abajo y de izquierda a derecha dentro del texto.

BLOQUE NUMÉRICO	
NUMLOCK	Activa el bloque numérico.
NUMEROS	Ingresan números.
OPERADORES MATEMÁTICOS	Ingresan operadores matemáticos.

TECLAS DE FUNCIÓN

ESC	Interrumpe una acción que se está llevando a cabo.
F1-F12	La función de estas teclas depende del software
PRINT SCREEN	Captura lo que está en pantalla.
SCROLL LOCK	Bloquea el paso de pantalla.
PAUSE	Solicita una pausa al microprocesador (no se usa en Windows).

BARRA ESPACIADORA

Agrega especios en blanco

 *Guía Visual - 1 - El teclado*

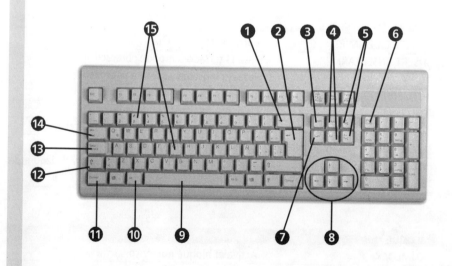

Guía Visual - 1 - El teclado - Referencias

❶ Backspace: esta tecla permite eliminar (borrar texto o espacio en blanco a la izquierda de la posición del cursor).

❷ Enter: cuando pulsamos esta tecla pasamos a la línea siguiente. El texto ubicado a la derecha del cursor baja automáticamente.

❸ Habilita la función sobreescribir. La escritura que se ingresa podrá reemplazar a la existente desplazándola hacia adelante.

❹ Permiten saltar al comienzo y al final de la línea.

❺ Permiten saltar al comienzo y al final de la pantalla.

❻ Habilita el uso de este bloque de teclas, que usualmente se utiliza para ingresar números y operaciones matemáticas rápidamente.

❼ Borra caracteres a la derecha del cursor.

❽ Flechas de direccionamiento. Llevan el cursor a lo largo del escrito sin borrar o arrastrar caracteres. No permiten desplazarse más allá del texto (en la hoja en blanco).

❾ Barra espaciadora. Ingresa un espacio en blanco cuando se la pulsa.

❿ Se utiliza en combinación con otras teclas. Si se la pulsa sóla, habilita la Barra de Menú.

⓫ Se utiliza en combinación con otras teclas para ejecutar acciones inmediatas. Por ejemplo, Ctrl+S, en Word, subraya la palabra previamente seleccionada.

⓬ Mientras mantenemos pulsada esta tecla podremos escribir en mayúsculas.

⓭ Bloquea las mayúsculas.

⓮ Tabulaciones. Obliga al cursor a saltar a lugares predeterminados.

⓯ Teclas de escritura. Si queremos escribir la que figura arriba, deberemos pulsar Shift+ la tecla correspondiente

2. EL MOUSE

Función Botón Izquierdo	Selecciona elementos, elige comandos, ubica el cursor.
Función Botón derecho	Muestra un menú con comandos. Los comandos dependerán de la ubicación del Mouse al momento de hacer el clic.

2.1. Punteros del Mouse

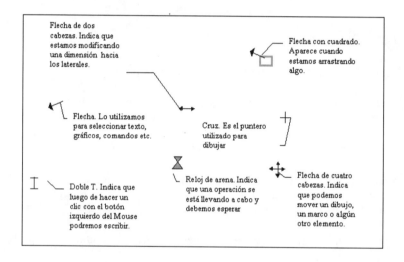

3. INGRESO DE CARACTERES COMO CÓDIGOS ASCII

Los códigos ASCII son un grupo de 256 caracteres que se ingresan pulsando la tecla ALT simultáneamente con un número. Por ejemplo, si pulsamos ALT y luego el número 92 ingresamos la Barra Invertida (\ ). Si pulsamos ALT y luego el número164 ingresamos la letra "ñ", etc. Los caracteres más usados y sus correspondientes números figuran en la siguiente tabla.

CARACTER	ALT+NUMERO
Letra "Ñ"	165
Letra "ñ"	164
Letra "á"	160
Letra "é"	130
Letra "í"	161
Letra "ó"	162
Letra "ú"	163
Símbolo "&"	38
Símbolo "@"	64
Símbolo "~"	126

ÍNDICE ALFABÉTICO

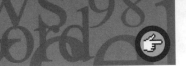

Curso práctico de computación
$19,90

Un completísimo curso diseñado para aprender paso a paso y en tiempo récord todo lo que hay que saber para ser un experto usuario de la PC. Toda la información para los que recién empiezan y para quienes quieren perfeccionar sus conocimientos.

COLECCIÓN: APRENDIENDO PC

Guía de funciones de Excel (volumen 1)
$13,90

Claudio Sánchez, el especialista en Excel, explica una por una las 327 funciones de Excel, en sólo 2 volúmenes. En esta primera entrega, las funciones financieras, de fecha y hora, matemáticas y para bases de datos.

COLECCIÓN: PC USERS EXPRESS

Guía de funciones de Excel (volumen 2)
$13,90

El segundo volumen de esta valiosa obra, que todo usuario del programa estaba esperando, incluye todas las novedades de la nueva versión Excel 2000. Además, el desarrollo de las funciones de información, de ingeniería, lógicas, estadísticas y de manejo de textos.

COLECCIÓN: PC USERS EXPRESS

111 preguntas sobre Correo Electrónico
$15,90

No nos quedamos atrás y seguimos indagando sobre lo que la gente quiere saber acerca del uso del correo electrónico. Gracias a los lectores de PC Users, todas las respuestas a las preguntas más frecuentes están en este libro.

COLECCIÓN: PC USERS RESPONDE

Estudiar con la PC
$13,90

Con los adelantos de la PC, las posibilidades de investigación, elaboración y presentación de textos se abren infinitamente. Por medio de este libro, usted dominará todas las herramientas necesarias para hacer los mejores trabajos.

COLECCIÓN: PC USERS EXPRESS

LINUX, Manual de referencia
$19,90

Sumáte al "proyecto Linux", el sistema operativo de distribución libre y gratuita. Lo que empezó como un simple hobby hoy hace temblar a Microsoft.

CD-ROM: versión completa de RED HAT LINUX.

COLECCIÓN: COMPUMAGAZINE

Proyectos con macros en Excel
$13,90

La mejor manera de dar respuesta a un tema difícil de abordar. Esta propuesta de nuestro especialista brinda las soluciones para el manejo de las técnicas de programación en Office y Excel, con ejemplos claros.

COLECCIÓN: PC USERS EXPRESS

Access para PyMEs
$16,90

El manejo a fondo de Access permite integrar datos, generar métodos de búsqueda y elaborar informes completos de una base de datos, de modo que la información de una empresa se optimice.

COLECCIÓN: PC USERS PYMES

Visual FoxPro 6.0
$19,90

Introduce al lector en la programación por eventos y orientada a objetos, a través del lenguaje más poderoso para aplicaciones de gestión. Dirigido también a quienes vienen de una plataforma xBase, como Fox, Clipper o Dbase.

COLECCIÓN: COMPUMAGAZINE

Macros en Office
$13,90

Asomáte al universo de las macros y comenzá a descubrir el poder del editor de Visual Basic, accesible desde Word, Excel o PowerPoint. Opciones avanzadas, técnicas, recursos y soluciones integradas con bases de datos.

COLECCIÓN: CM SOLUCIONES

La Biblia de Internet
$19,90

Contesta las preguntas más frecuentes: ¿Cómo elegir un buen proveedor? ¿Cómo hacer una compra en la Web?…

CD-ROM: con 10 horas gratis de Internet y todos los programas necesarios.

COLECCIÓN: PC USERS

Creación de aplicaciones multimedia con Visual Basic
$19,90

Todos los secretos para crear aplicaciones multimedia. Desde cero hasta un proyecto completo con imágenes, sonido, video y animación.

CD-ROM: soft de diseño, sonido, utilitarios, etc.

COLECCIÓN: PC USERS

Los mejores libros de computación
Entregá este cupón a tu canillita

✂ -

APELLIDO Y NOMBRE ....

DIRECCIÓN .... LOCALIDAD ....

CP .... · PROVINCIA .... PAÍS ....

TELÉFONO .... FAX ....

TÍTULOS SOLICITADOS:

....

....

....

....

ADJUNTO CHEQUE/GIRO Nº .... C/BANCO .... A FAVOR DE MP EDICIONES S.A.

DEBÍTESE DE MI TARJETA DE CRÉDITO EL IMPORTE $ .... A FAVOR DE MP EDICIONES S.A.

MASTERCARD ☐   AMERICAN EXPRESS ☐   VISA ☐   VTO.   /   /

NÚMERO DE TARJETA .... CÓDIGO DE SEGURIDAD ....

FIRMA DEL TITULAR .... FIRMA DEL SOLICITANTE ....

NOMBRE DEL VENDEDOR ....

PAQUETE Nº: ☐☐   ☐☐☐   ☐☐☐
          D   L   V

MP

Completá este cupón y enviálo por fax al (011) 4954-1791 o por correo a:
MP Ediciones S.A. Moreno 2062 (1094) Capital Federal o llamando al (011) 4954-1884.